東京大学物語

③

平行線

江川達也

CONTENTS

◉第22回◉夢芝居 — 5
◉第23回◉泥濘《ぬかるみ》 — 23
◉第24回◉羨望鏡 — 41
◉第25回◉亀　裂 — 59
◉第26回◉前　夜 — 77
◉第27回◉口づけ — 95
◉第28回◉爆　裂 — 113
◉第29回◉慚愧《ざんき》 — 131
◉第30回◉平行線 — 149
◉第31回◉祭　日 — 167
◉第32回◉闇 — 185

●第22回●
夢芝居

■この物語はフィクションです。現地取材に基づいて作画しておりますが、実在の学校・人物とは一切関係ありません。

t) を考えた場合,
$3t+2$となる。
式をDとすると
$\left(t-\frac{3}{2}\right)^2+\frac{3}{4} \geqq \frac{3}{4} > 0$
とがわかる。
かる。
1, $2 \leqq t$)
$t \leqq 2$)
ることができる。
$\leqq 2$ の場合
村上《むらかみ》君って、すごいネ——っ!!
ドキドキ
できる。
合
あるから
そっか——!! こうすれば、簡単に解けるんだ——っ! すっごい近道だね——っ!
ドキドキ
$-\alpha)(x-\beta)$ であるから
$-\beta) \leqq 0$
$\alpha \leqq t \leqq \beta$ が求められる。
$|+|t-\beta|=t-\alpha+\beta-t=\beta-\alpha$
$\beta)^2-4\alpha\beta = \sqrt{\left\{\frac{2(t+3)}{3}\right\}^2-\frac{4(3t+2)}{3}}$

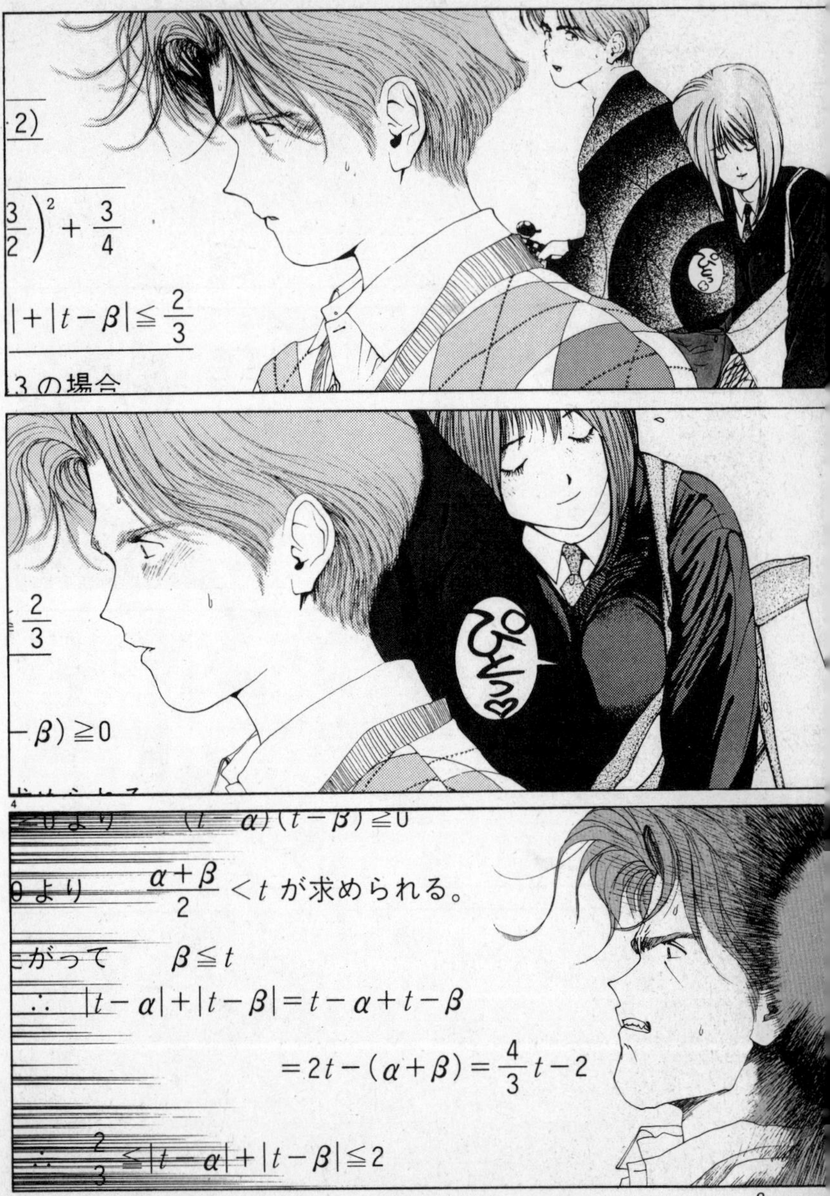
2)
$\frac{3}{2}\Big)^2+\frac{3}{4}$
$|+|t-\beta|\leqq\frac{2}{3}$
3 の場合
ぴとっ
$\frac{2}{3}$
$-\beta)\geqq0$
ぴとっ♡
$(t-\alpha)(t-\beta)\geqq0$
0より　$\frac{\alpha+\beta}{2}<t$ が求められる。
がって　$\beta\leqq t$
$\therefore\ |t-\alpha|+|t-\beta|=t-\alpha+t-\beta$
$=2t-(\alpha+\beta)=\frac{4}{3}t-2$
$\therefore\ \frac{2}{3}\leqq|t-\alpha|+|t-\beta|\leqq2$

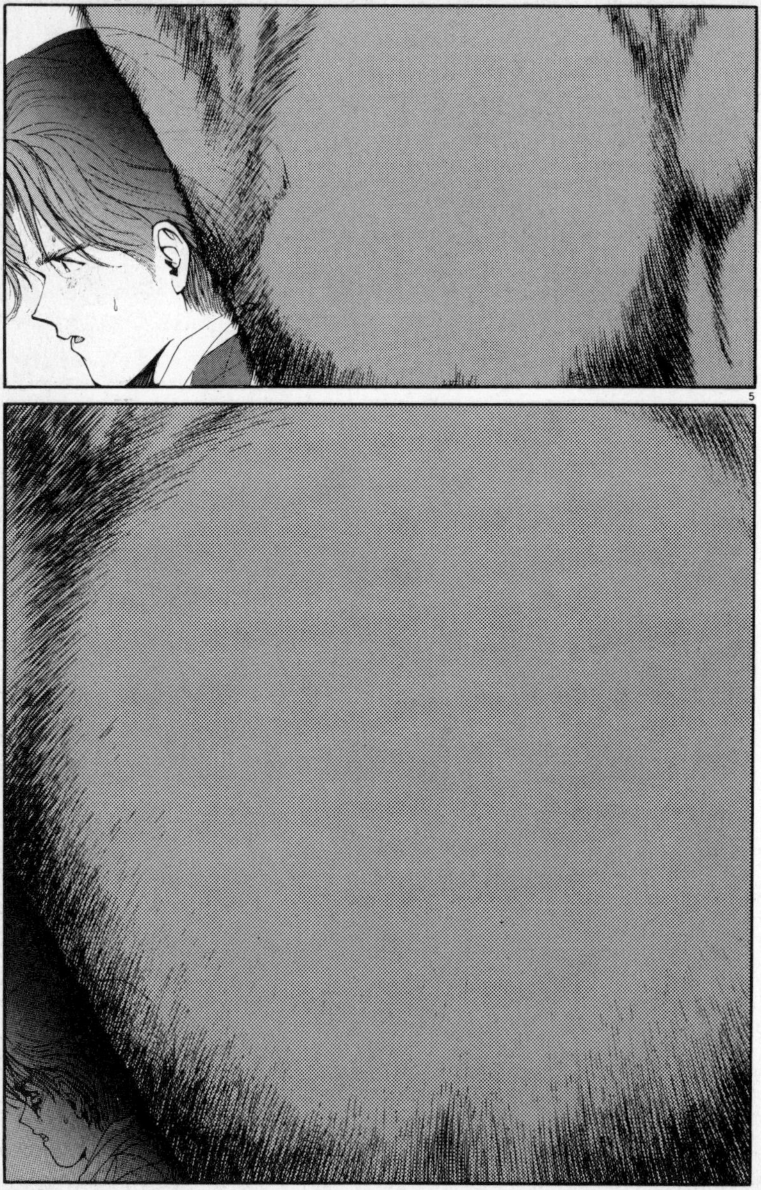

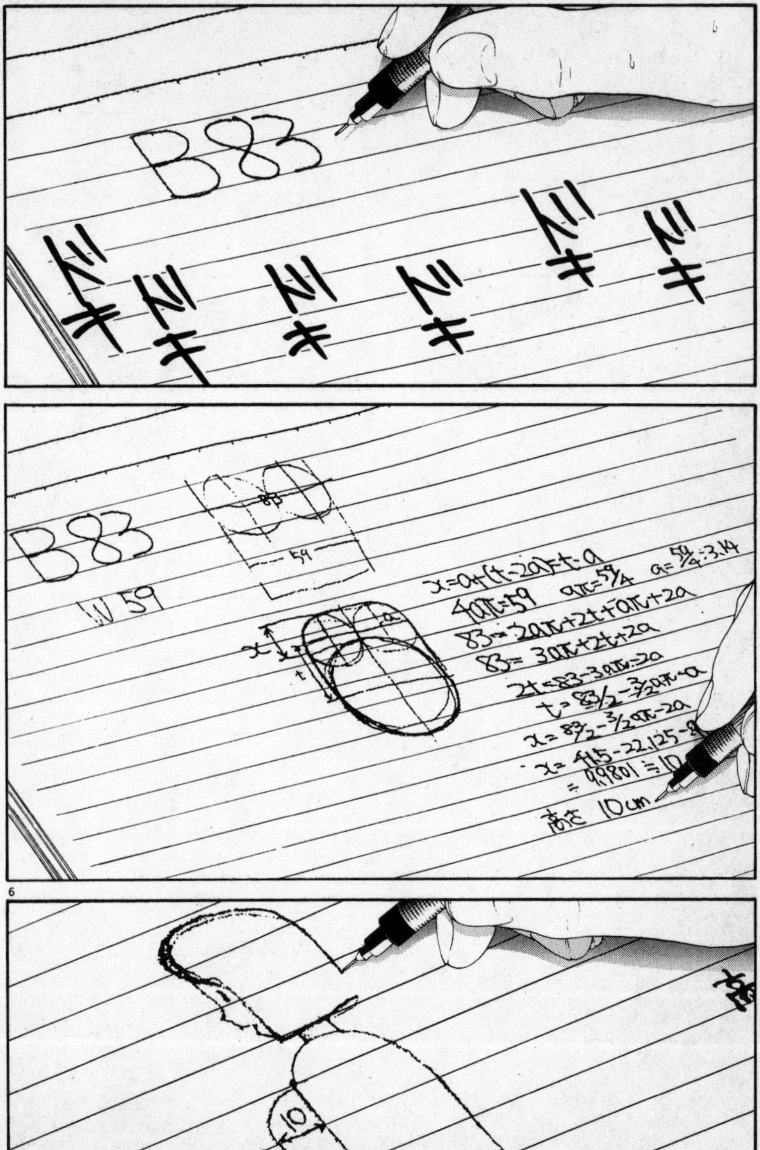
B83
ドキ
ドキ
ドキ
ドキ
ドキ
ドキ
B83
59
W 59
83
高さ 10cm
10

ぴ
高さ 10cm
な……何やってんだ——!?
オレはぁ——っ!!

脳下垂体よ———っ!!
頼むから……
頼むから……
じっとしていてくれ……!!
そんなに……
性腺刺激ホルモンを……
分泌しないでくれ———っ!!
オレには、受験があるんだ———っ!!
東大現役合格するんだっ!!

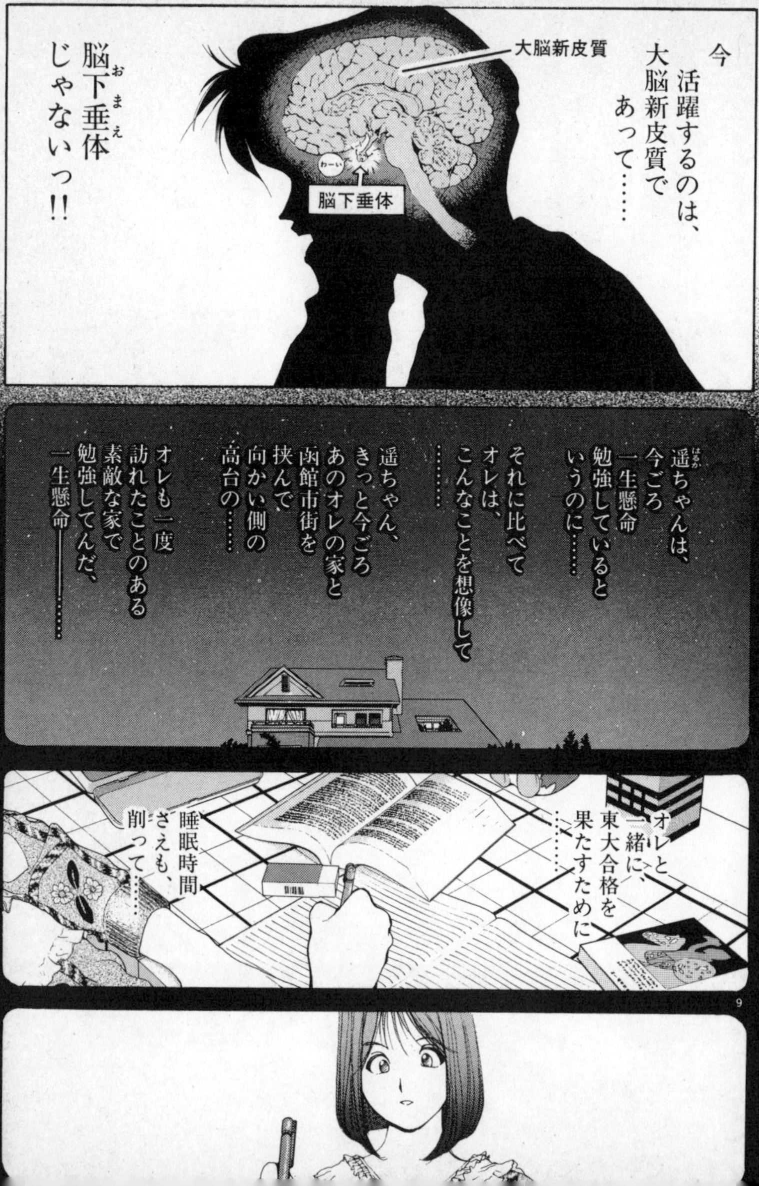
今
活躍するのは、大脳新皮質であって……
大脳新皮質
わーい
脳下垂体
脳下垂体《おまえ》じゃないっ!!
遥《はるか》ちゃんは、今ごろ一生懸命勉強しているというのに……
それに比べてオレは、こんなことを想像して……
遥ちゃん、きっと今ごろあのオレの家と函館市街を挟んで向かい側の高台の……
オレも一度訪れたことのある素敵な家で勉強してんだ、一生懸命──……
オレと一緒に、東大合格を果たすために……
睡眠時間さえも、削って……

絶対東大行くぞ——っ!!
東大!東大!東京大学行くぞっ!!
あの函館山の麓にきらめいている、幾粒かの綺麗な光の雫……その一つの雫の中で……
村上君、あなたもあたしと同じ様に、東大合格を目指して勉強している……
村上君……
ズキ♥ ズキ♥
ズキ♥ ズキ♥ ズキ♥ ズキ♥ ズキ♥ ズキ♥
すっ
ズキ ズキ♥

あのとき
思わず、
あたし
村上君の手を
自分の胸に
持っていって
しまった
けど……
ドキ♥ドキ♥ドキ♥ドキ♥ドキ♥ドキ♥
あの
村上君の手の
感触が……
今でも
あたしの胸に
残っている……
ドキ♥ドキ♥ドキ♥ドキ♥ドキ♥ドキ♥ドキ♥ドキ♥
ああ……
ドキ♥ドキ♥ドキ♥ドキ♥
村上君……
ドキ♥ドキ♥ドキ♥ドキ♥

ああ——っ……
ドキドキして、
ドキン ドキン
ズキン ズキン
胸が張りさけそうで……
勉強できない……
私の合格作戦
あたしは、
がんばって
勉強して
……
東大に
受かって
……
む……
村上君と
一緒に……
大学に……
い……く……
の……に……
……
ああ——っ……
あたしの脳下垂体さん……
お願いよ——っ……
性腺刺激ホルモンを
もうこれ以上……
はぁ
んはぁ
ぶ……ぶ……
分泌しなはいでえ——っ♡

……で……
……でないと……
……あたし……
……あ……
……ぁ……
……あ……
……あ……
ズッ ズッ
はぁっ
はぁ
はぁ
はぁっ
くはぁっ
……あたし……
ズキ ズキ ズキ ズキ
……あは……
……ああ……
ブル
ブル
ブル
ブル
ブル
ブル
ブル

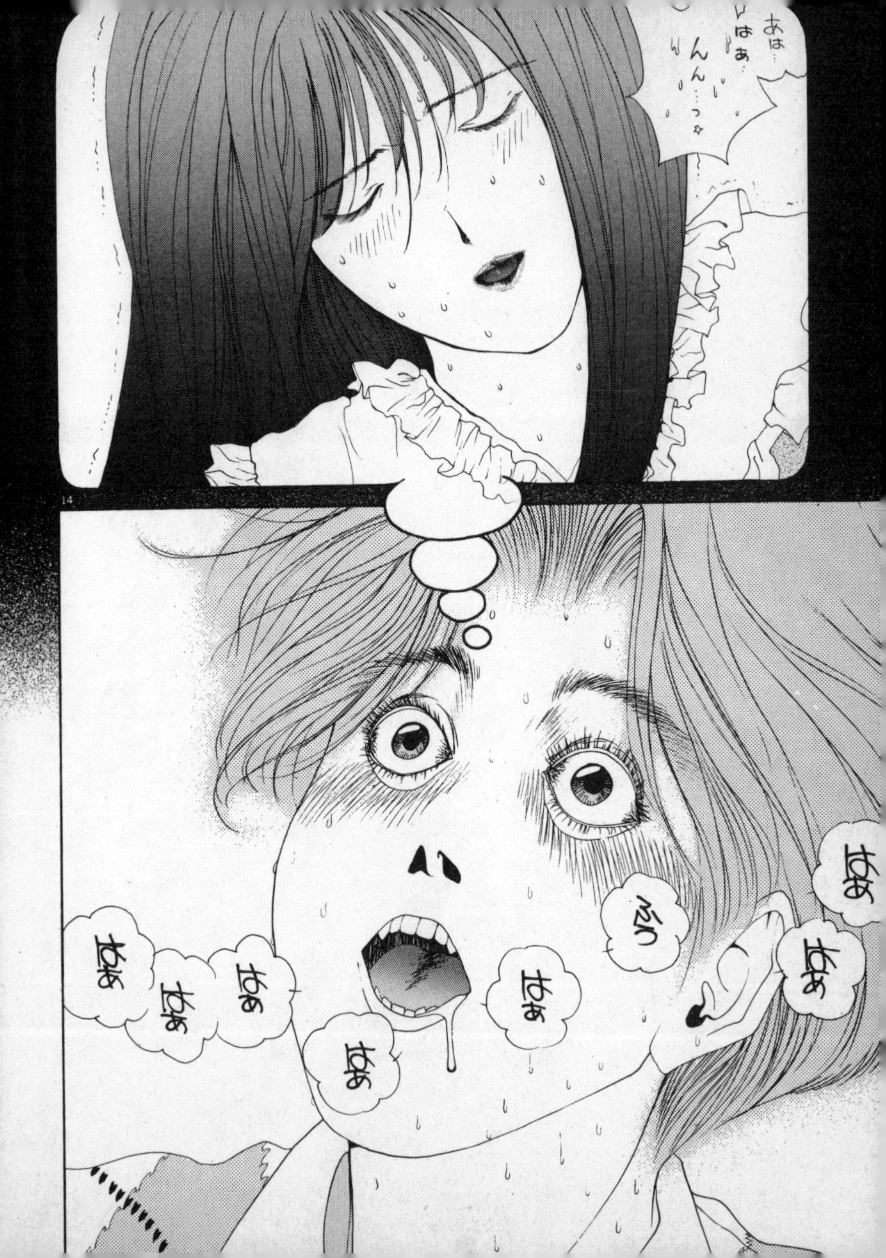
あは…
はぁ…
んん…っ☆
はぁ
はぁ
ふう
はぁ
はぁ
はぁ
はぁ
はぁ

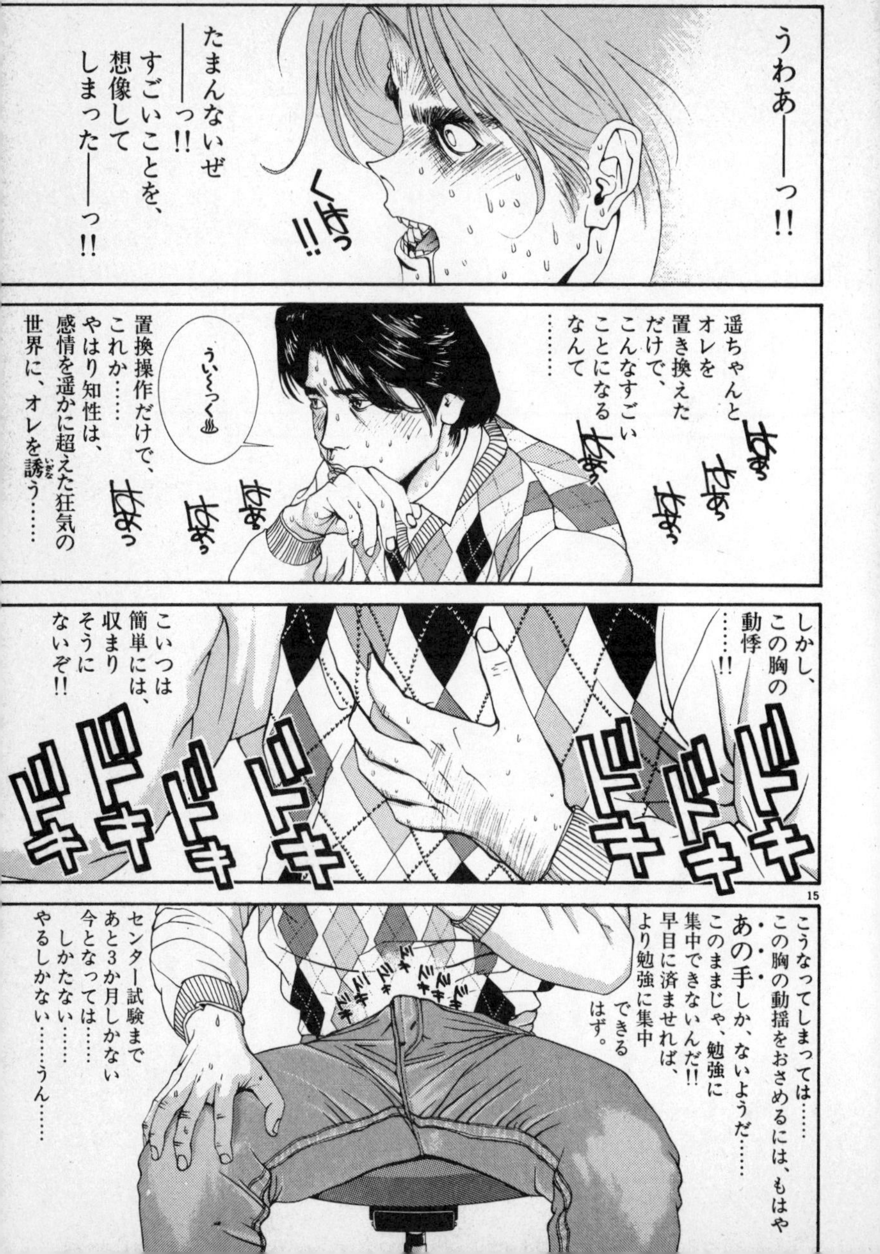
うわあ——っ!!
くはっ!!
たまんないぜ——っ!!
すごいことを、想像してしまった——っ!!
遥ちゃんとオレを置き換えただけで、こんなすごいことになるなんて……
はぁ はぁ はぁ はぁ
うぃ〜っく♨
はぁ はぁっ
置換操作だけで、これか……やはり知性は、感情を遥かに超えた狂気の世界に、オレを誘《いざな》う……
しかし、この胸の動悸……!!
ドキ ドキ ドキ
ドキ ドキ ドキ
こいつは簡単には、収まりそうにないぞ!!
こうなってしまっては……この胸の動揺をおさめるには、もはや・・・
あの手しか、ないようだ……
このままじゃ、勉強に集中できないんだ!!
早目に済ませれば、より勉強に集中できるはず。
ズキ ズキ ズキ ズキ ズキ
センター試験まであと3か月しかない今となっては……
しかたない……
やるしかない……うん……

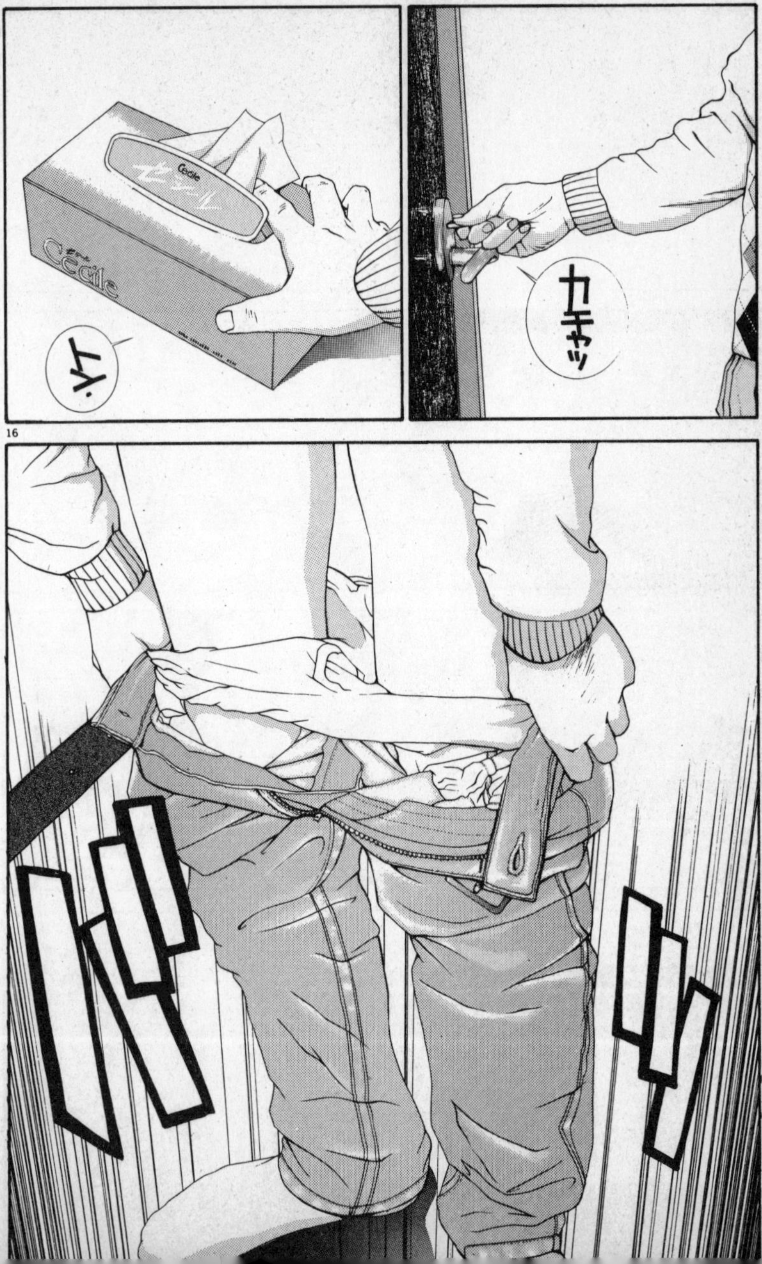
カチャッ
Cecile
Cécile

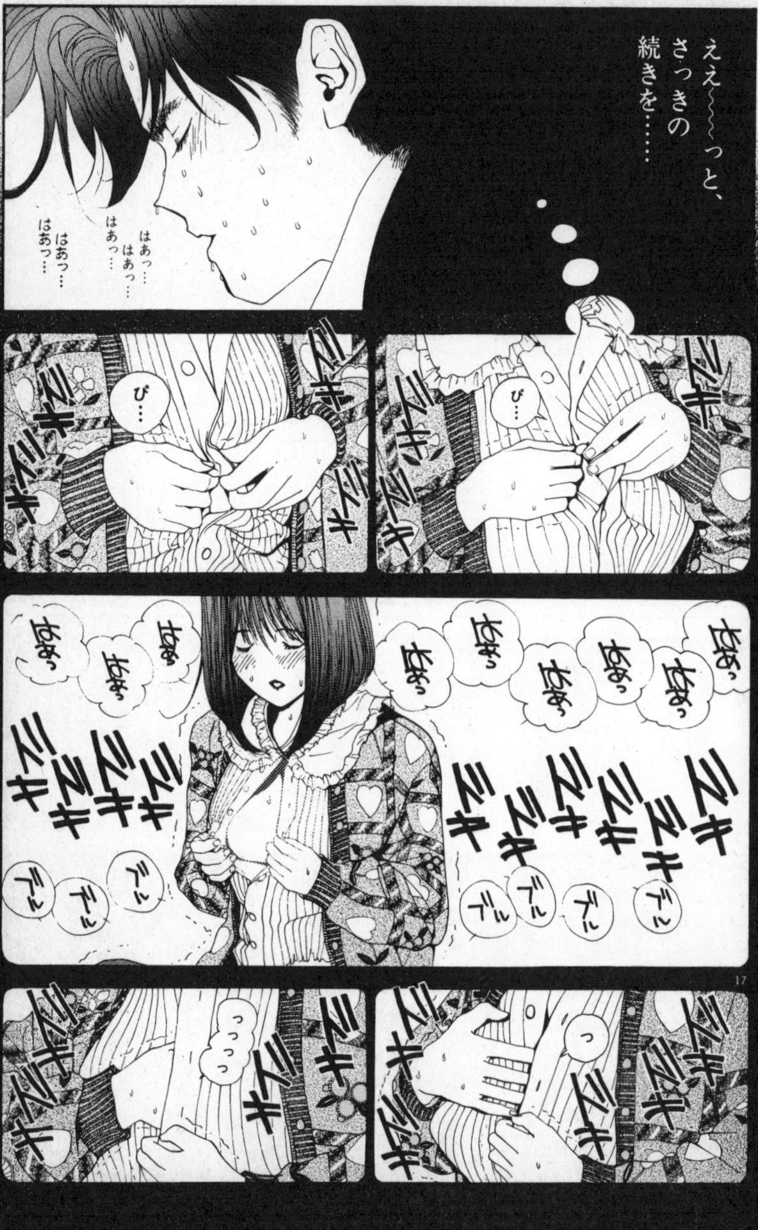

ええ~~っと、さっきの続きを……
はあっ…はあっ…
はあっ…はあっ…
ぴ…
ズキ ズキ ズキ ズキ
ぴ…
ズキ ズキ ズキ ズキ
はあっ はあっ はあっ はあっ はあっ
はあっ はあっ はあっ はあっ
ズキ ズキ ズキ ズキ ズキ ズキ
ブル ブル ブル ブル
ズキ ズキ ズキ ズキ ズキ ズキ
ブル ブル ブル
っ
ズキ ズキ ズキ ズキ
っっっっ
ズキ ズキ ズキ ズキ

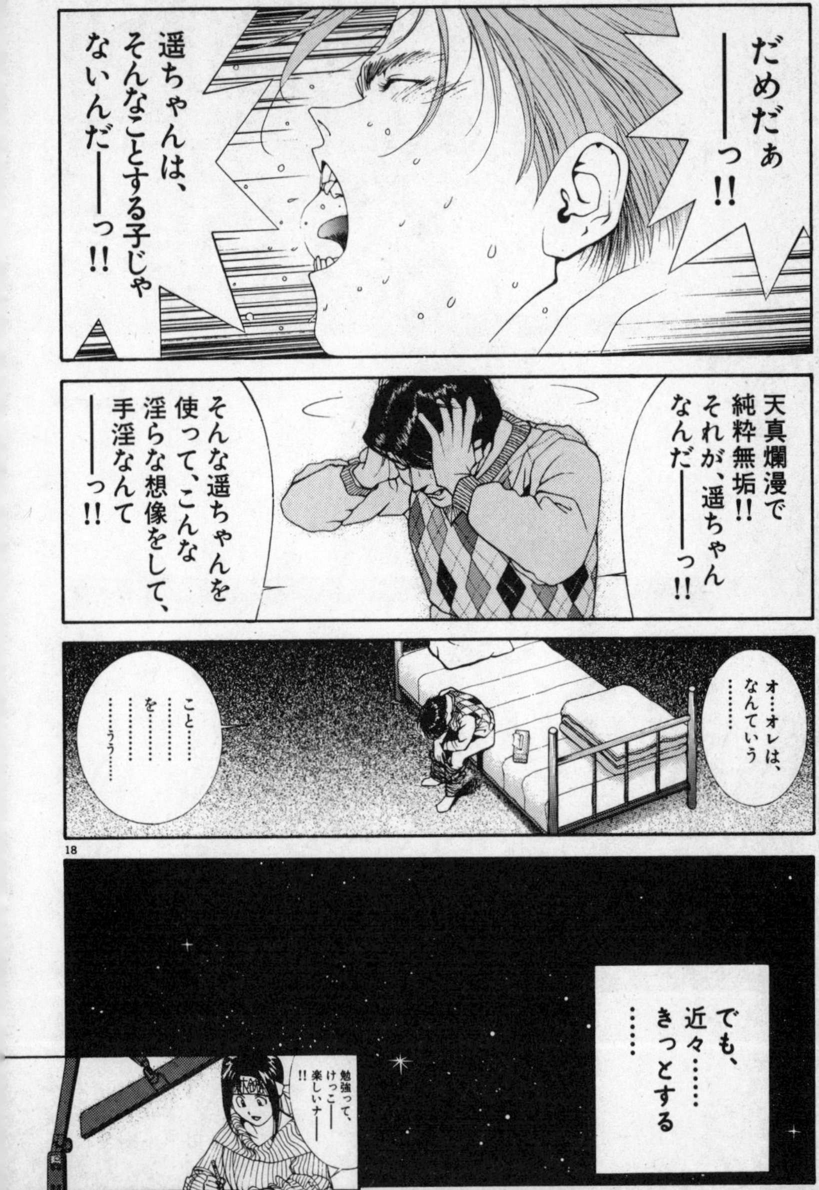
だめだぁ——っ!!
遥ちゃんは、そんなことする子じゃないんだ——っ!!
天真爛漫で純粋無垢!! それが、遥ちゃんなんだ——っ!!
そんな遥ちゃんを使って、こんな淫らな想像をして、手淫なんて——っ!!
オ…オレは、なんていう……
こと………を………うう……
でも、近々……きっとする……
勉強って、けっこ——楽しいナ——!!

●第23回● 泥濘《ぬかるみ》

またやってしまった……
遥ちゃんの恥ずかしい姿を……
想像して……

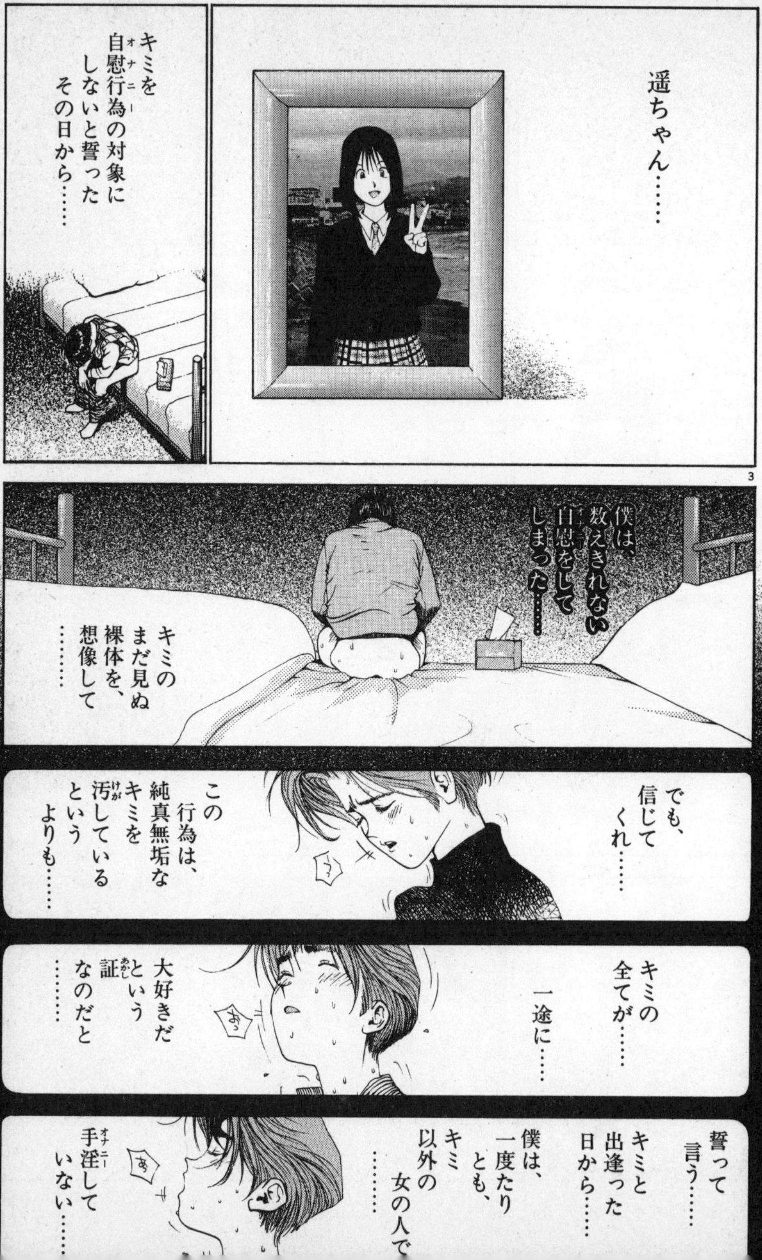
遥ちゃん……
キミを自慰《オナニー》行為の対象にしないと誓ったその日から……
3
僕は、数えきれない自慰《オナニー》をしてしまった……
キミのまだ見ぬ裸体を、想像して……
でも、信じてくれ……
この行為は、純真無垢なキミを汚《けが》しているというよりも……
キミの全てが……
一途に……
大好きだという証《あかし》なのだと……
あっ
誓って言う……
キミと出逢った日から……
僕は、一度たりとも、キミ以外の女の人で……
手淫《オナニー》していない……
あ

……………
Mon Tue Wed Thu
ぴ
11回!?
今日……もう、11回もしてしまったのか!?
手淫《オナニー》は、一週間に3回まで!!
……と決めていたオレなのに、一日11回とは桁外れに多過ぎる……(4秒)
ドキ ドキ
これでは、まるで…獣。
(3秒)
はぁ
しこ しこ

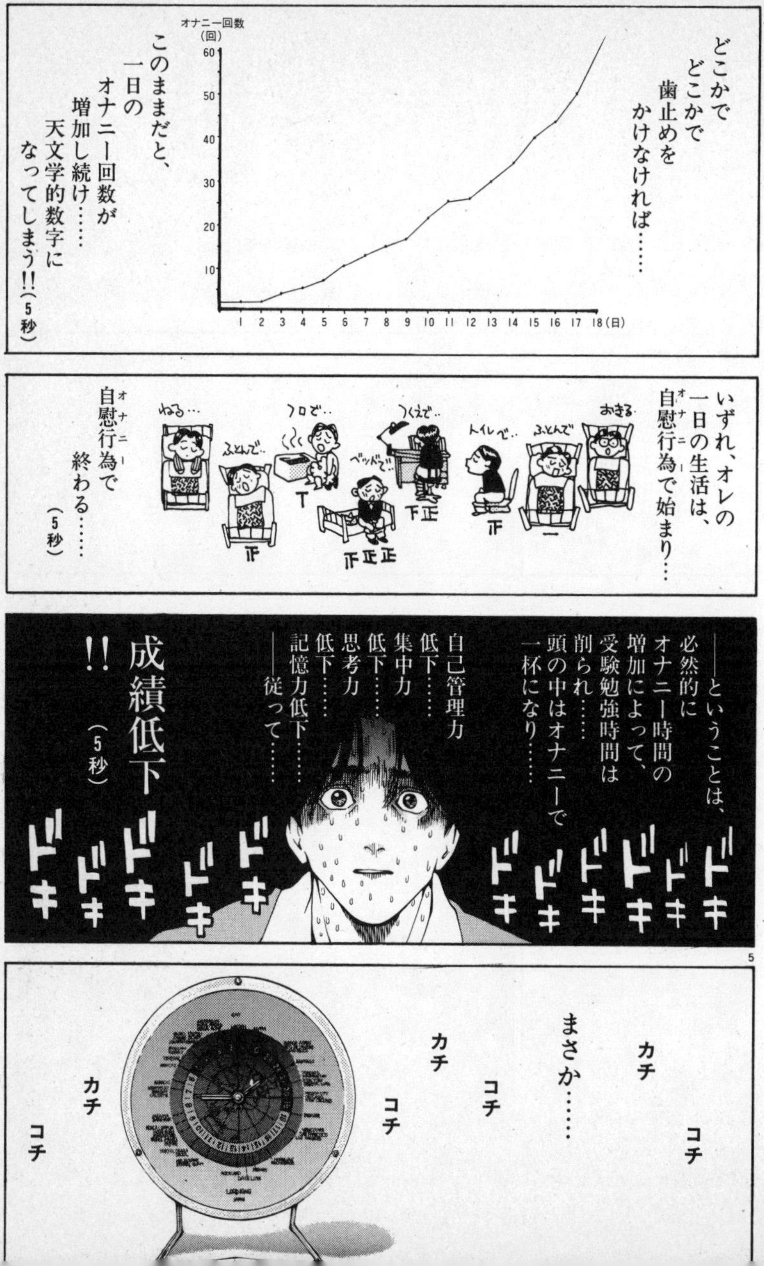
どこかで
どこかで
歯止めを
かけなければ……
オナニー回数
(回)
60
50
40
30
20
10
1 2 3 4 5 6 7 8 9 10 11 12 13 14 15 16 17 18 (日)
このままだと、
一日の
オナニー回数が
増加し続け……
天文学的数字に
なってしまう!!(5秒)
いずれ、オレの
一日の生活は、
自慰行為《オナニー》で始まり……
おきる
ふとんで
トイレで..
つくえで..
ベッドで..
フロで..
ふとんで..
ねる…
自慰行為《オナニー》で
終わる……
(5秒)
――ということは、
必然的に
オナニー時間の
増加によって、
受験勉強時間は
削られ……
頭の中はオナニーで
一杯になり……
自己管理力
低下……
集中力
低下……
思考力
低下……
記憶力低下……
――従って……
成績低下
!!
(5秒)
ドキ
ドキ
ドキ
ドキ
ドキ
ドキ
ドキ
ドキ
ドキ
ドキ
ドキ
カチ
コチ
まさか……
カチ
コチ
コチ
カチ
コチ

5

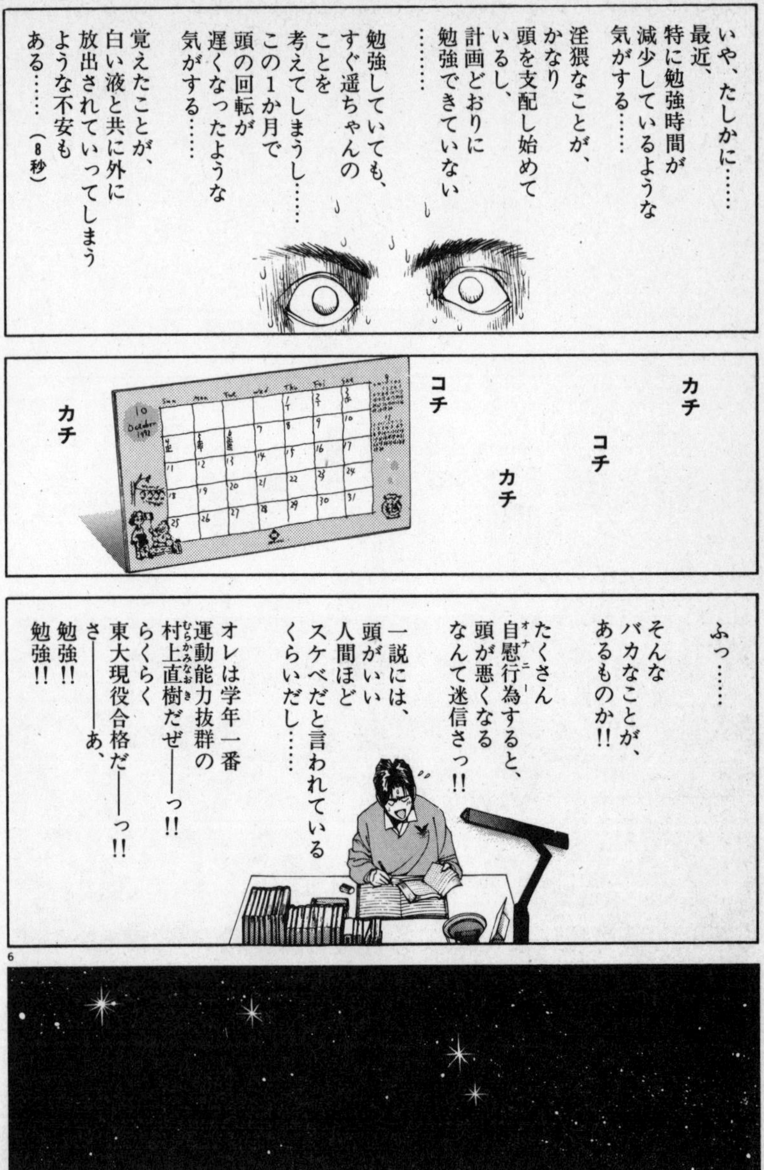
いや、たしかに……
最近、
特に勉強時間が
減少しているような
気がする……
淫猥なことが、
かなり
頭を支配し始めて
いるし、
計画どおりに
勉強できていない
………
勉強していても、
すぐ遥ちゃんの
ことを
考えてしまうし……
この1か月で
頭の回転が
遅くなったような
気がする……
覚えたことが、
白い液と共に外に
放出されていってしまう
ような不安も
ある……
(8秒)
カチ
コチ
カチ
コチ
カチ
ふっ……
そんな
バカなことが、
あるものか!!
たくさん
自慰行為《オナニー》すると、
頭が悪くなる
なんて迷信さっ!!
一説には、
頭がいい
人間ほど
スケベだと言われている
くらいだし……
オレは学年一番
運動能力抜群の
村上直樹《むらかみなおき》だぜ——っ!!
らくらく
東大現役合格だ——っ!!
さ———あ、
勉強!!
勉強!!

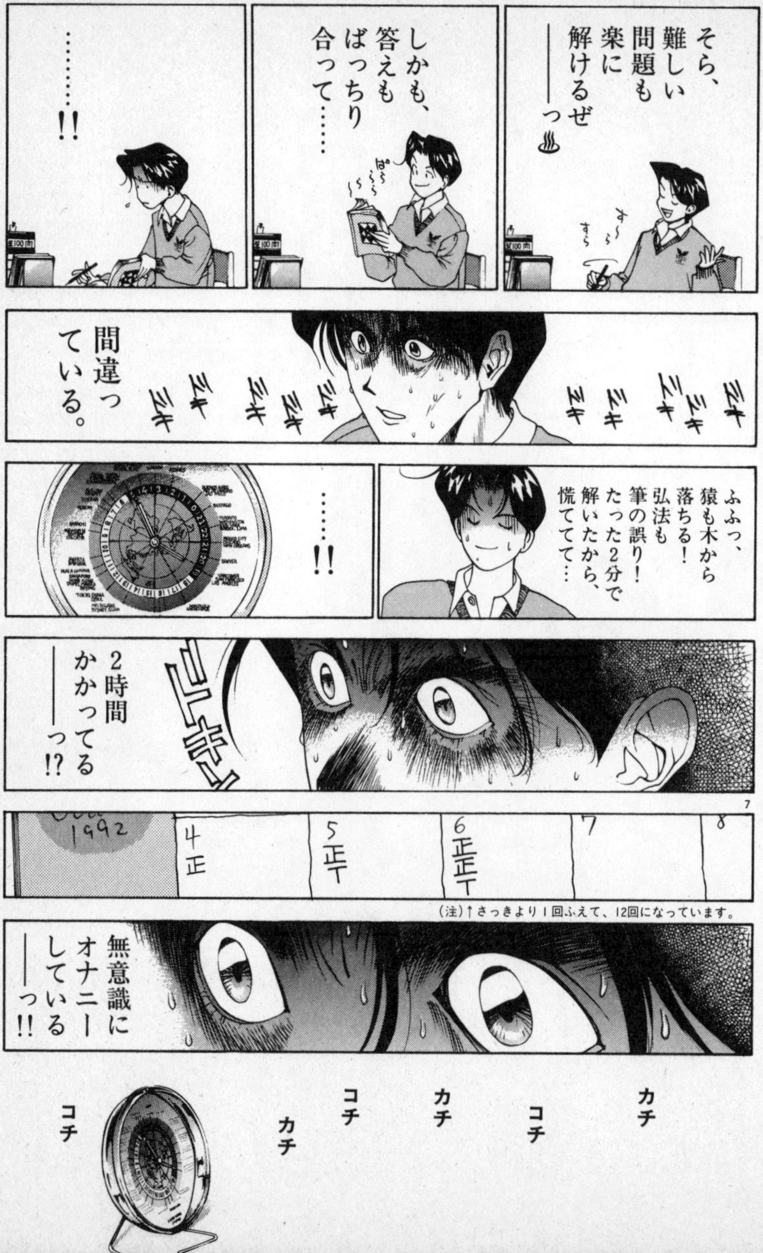
そら、難しい問題も楽に解けるぜ——っ♨
すら すら
しかも、答えもばっちり合って……
……!!
ドキ ドキ ドキ ドキ
ドキ ドキ ドキ ドキ
間違っている。
ふふっ、猿も木から落ちる! 弘法も筆の誤り! たった2分で解いたから、慌てて…
……!!
2時間かかってる——っ!?
7
1992
4 正
5 正T
6 正正T
7
8
(注)↑さっきより1回ふえて、12回になっています。
無意識にオナニーしている——っ!!
カチ
コチ
カチ
コチ
カチ
コチ

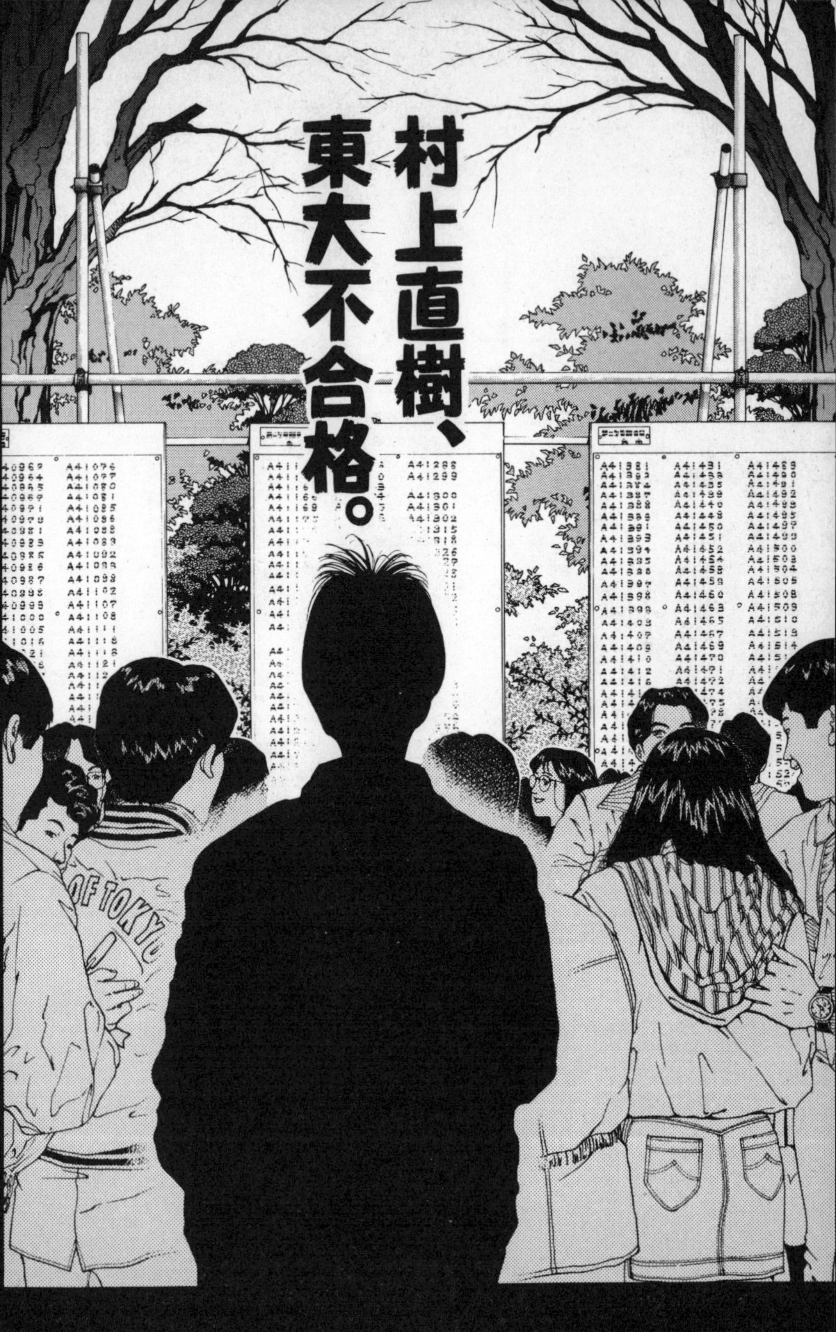
村上直樹、東大不合格。

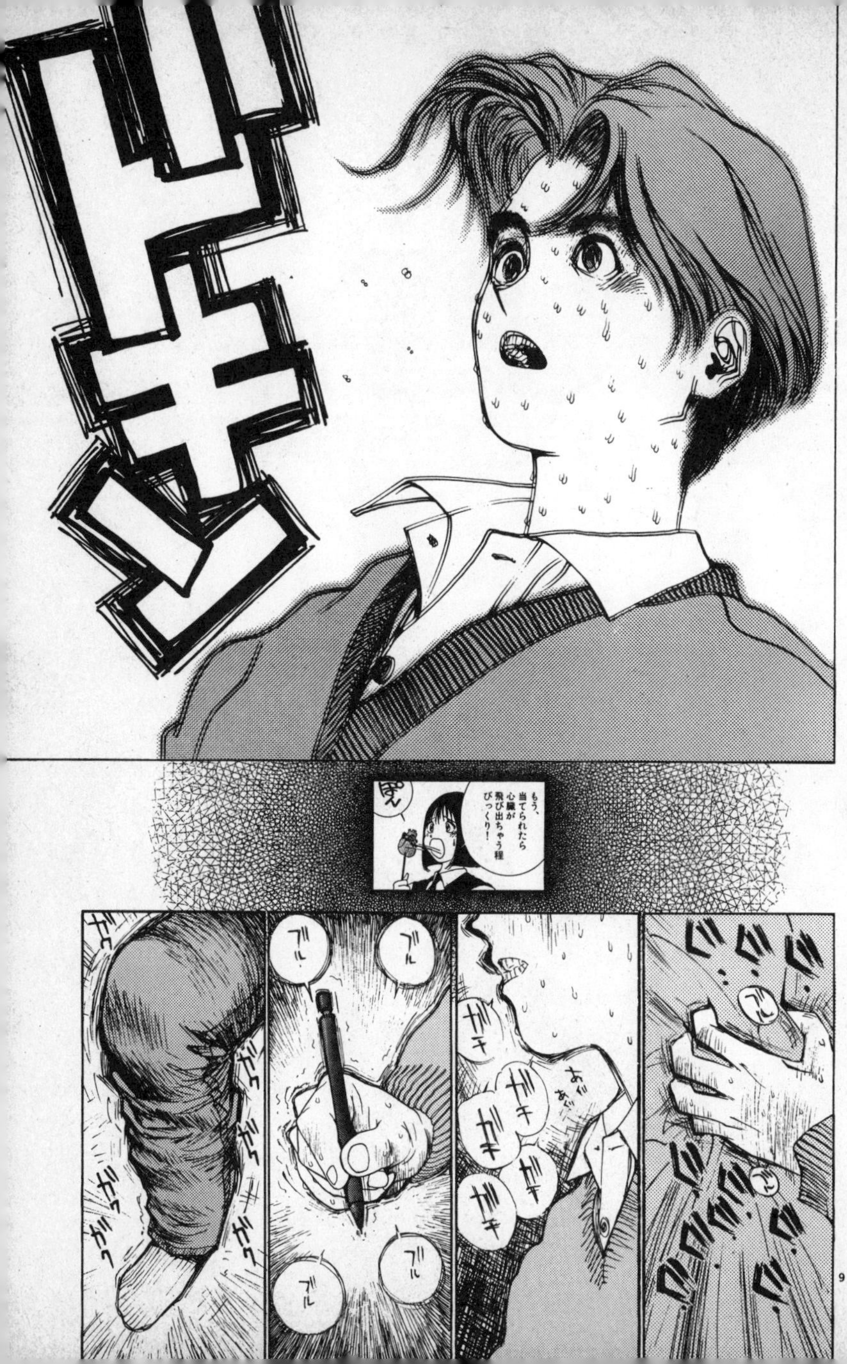
ドキン
もう、当てられたら心臓が飛び出ちゃう程びっくり!
ぽん
ブル
ブル
ガキ
ガキ
ガキ
ガキ
ガキ
あぐ あぐ
ブル
ブル
ブル
ブル
ガク
ガク
ガク
ガク
ガク
ガク

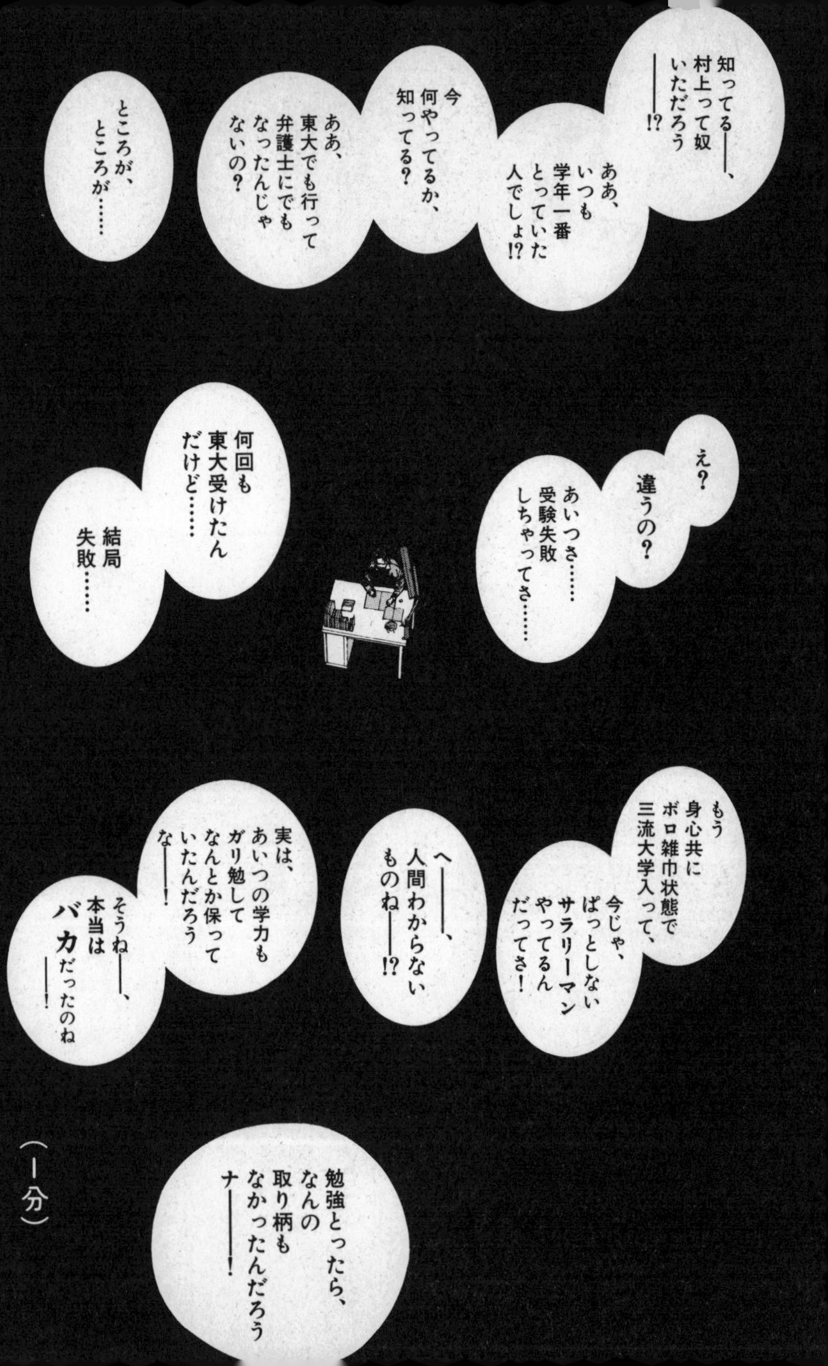
知ってる――、村上って奴いただろう――!?
ああ、いつも学年一番とっていた人でしょ!?
今何やってるか、知ってる?
ああ、東大でも行って弁護士にでもなったんじゃないの?
ところが、ところが……
え? 違うの?
あいつさ……受験失敗しちゃってさ……
何回も東大受けたんだけど……
結局失敗……
もう身心共にボロ雑巾状態で三流大学入って、
今じゃ、ぱっとしないサラリーマンやってるんだってさ!
へ――、人間わからないものね――!?
実は、あいつの学力もガリ勉してなんとか保っていたんだろうな――!
そうね――、本当は**バカ**だったのね――!
勉強とったら、なんの取り柄もなかったんだろうナ――――!
(一分)

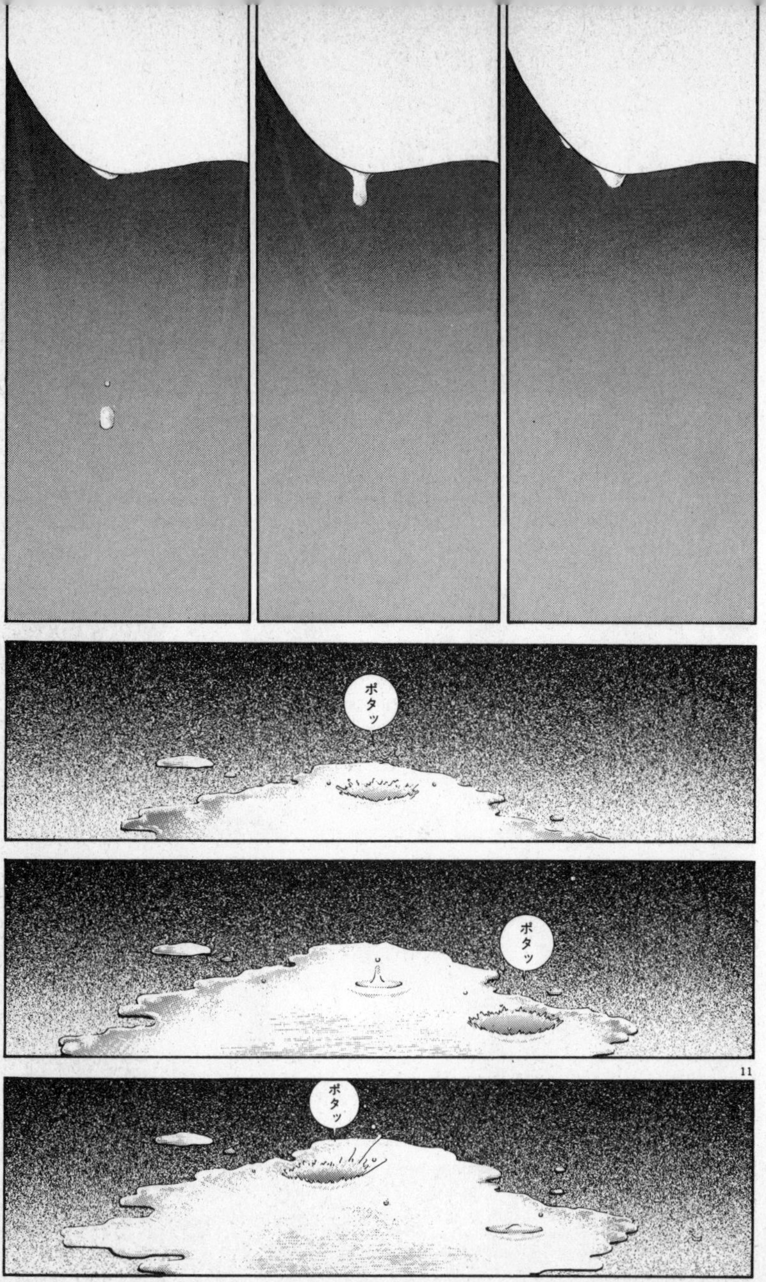

11

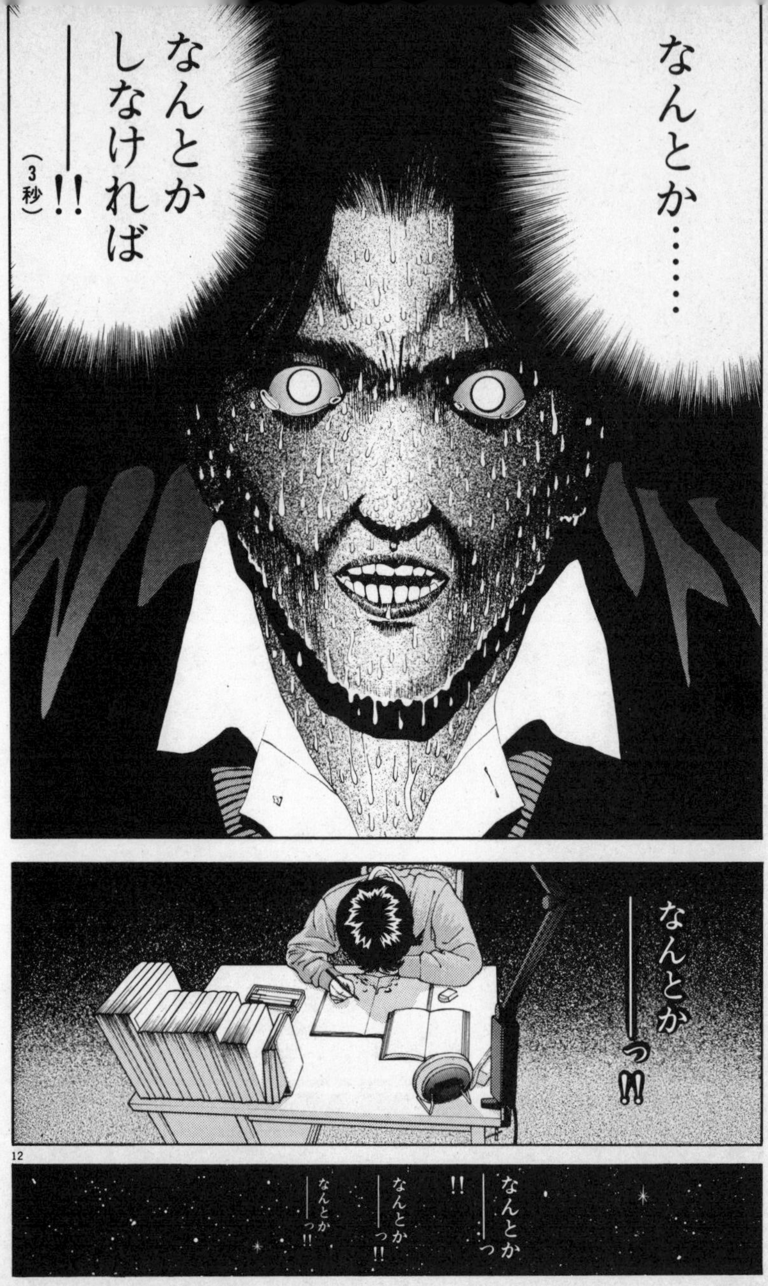
なんとか……
なんとかしなければ――!!
(3秒)
なんとか――っ!!
なんとか――っ!!
なんとか――っ!!
なんとか――っ!!

12

サントリーローヤル
受験が終わるまで、会わないようにしよう……
受験が終わるまで、会わないようにしよう……
受験が終わるまで、会わないようにしよう……
受験が終わるまで、会わないようにしよう……
受験が終わるまで、会わないようにしよう……
受験が終わるまで、会わないようにしよう……
ドキ
ドキ
ドキ
ドキ
ドキ
ドキ
村上く───ん、ごめんなさい───っ!!
受験が終わるまで、会わないようにしよう……
水野《みずの》さん……
受験が終わるまで、会わないようにしよう……

もうしわけないっ!!
ちょっと
学校祭のことで
手間どっちゃって
――っ!!
はぁっ
はぁっ
たっ
たっ
たっ

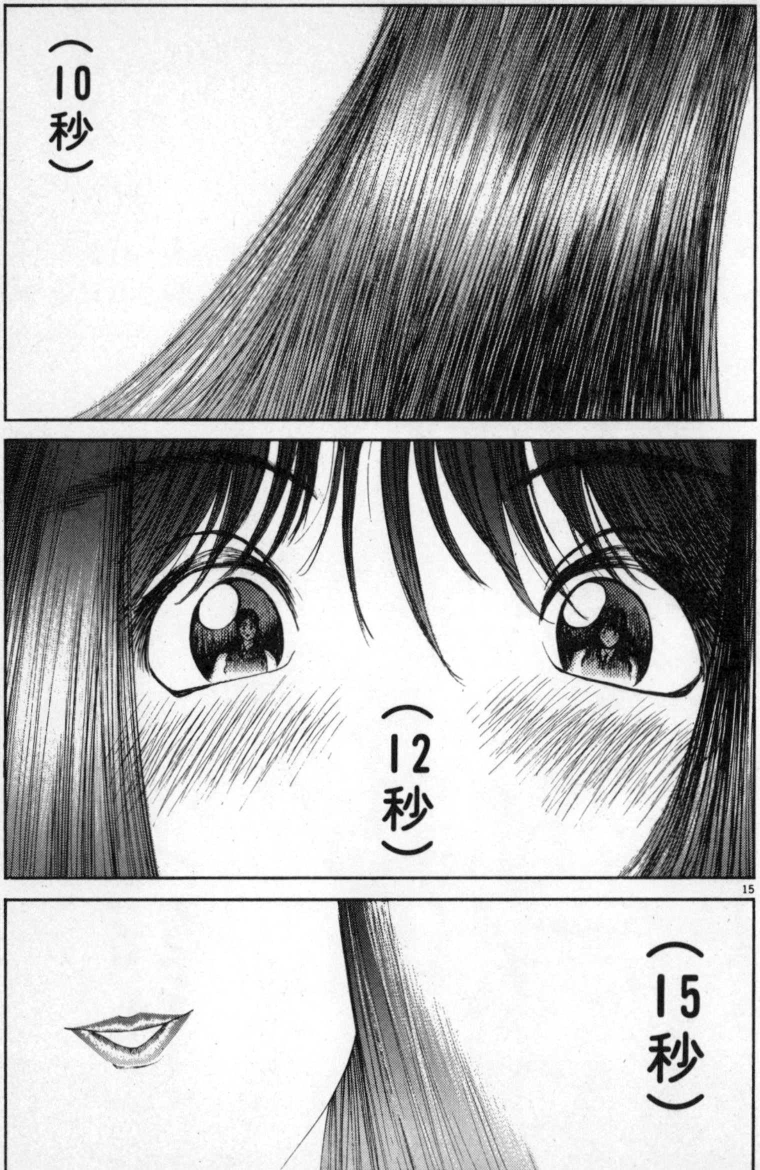

15

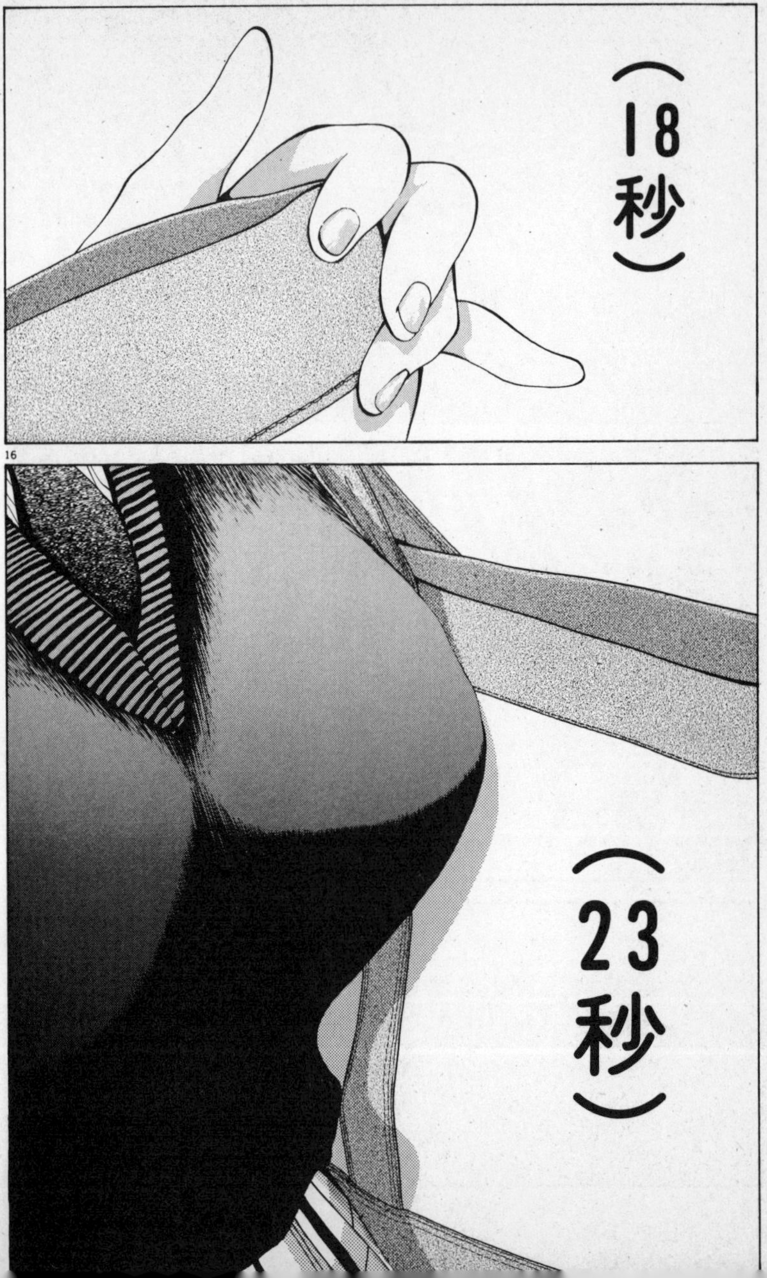
（18秒）
（23秒）

(27秒)

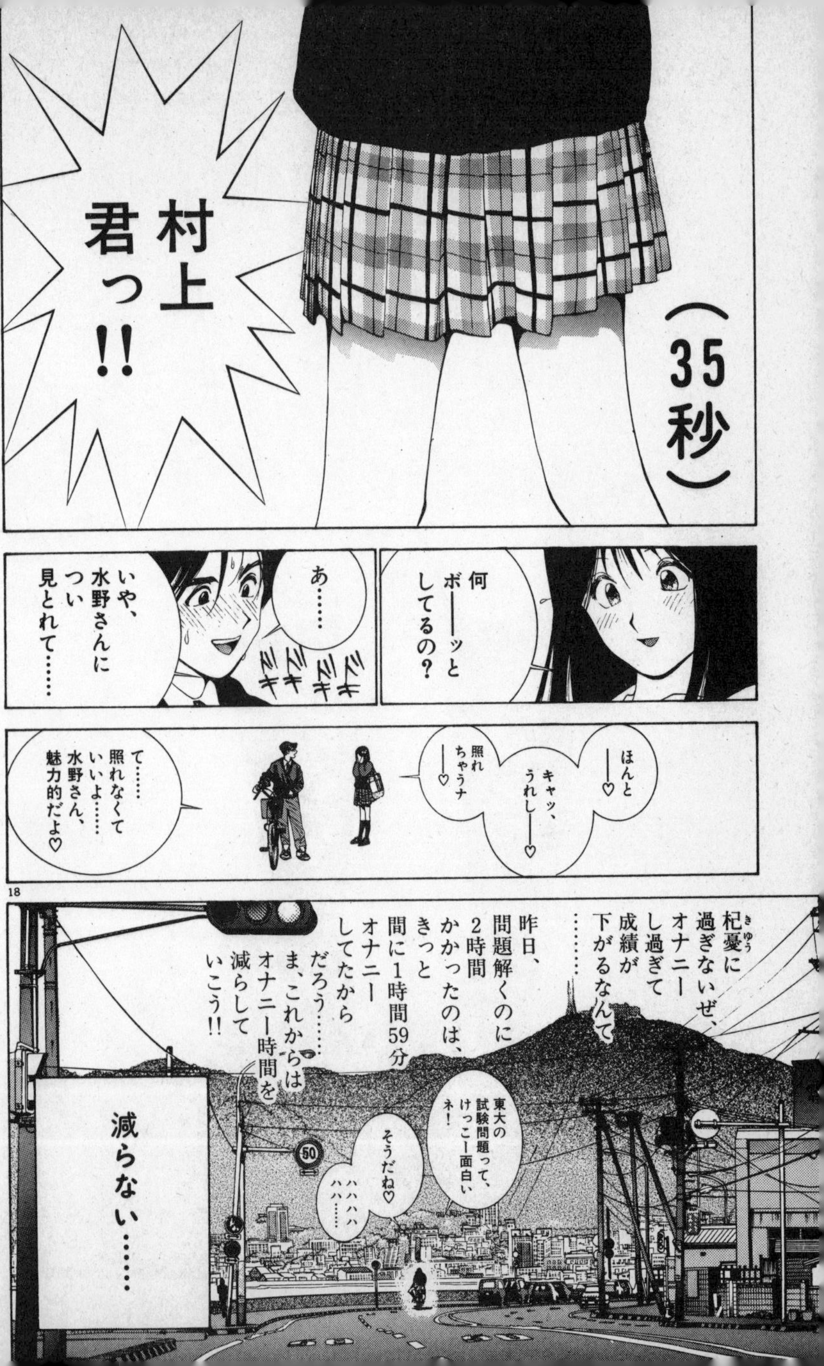
(35秒)
村上君っ!!
何ボーーッとしてるの?
あ……
ドキドキドキドキ
いや、水野さんについ見とれて……
ほんと──♡
キャッ、うれし──♡
照れちゃうナ──♡
て……照れなくていいよ……水野さん、魅力的だよ♡
杞憂《きゆう》に過ぎないぜ、オナニーし過ぎて成績が下がるなんて……
昨日、問題解くのに2時間かかったのは、きっと間に1時間59分オナニーしてたからだろう……
ま、これからはオナニー時間を減らしていこう!!
東大の試験問題って、けっこー面白いネ!
そうだね♡
ハハハハハハ……
減らない……

◉第24回◉

羨望鏡

一緒に図書館で勉強するため……
僕は、学校近く函館向陽高校生徒のあまり通らないこの道で……
遥ちゃんと待ち合わせをする——
というより、この道の、どまん中で今か今かと首を長くして……
遥ちゃんのやって来るのを、胸をときめかせて待ち焦がれているのだ……
ドキ ドキ ドキ ドキ ドキ ドキ ドキ
ああ……切な過ぎるこの気持ち……
キミに会えないと居ても立ってもいられないほど、たまらなく……
心にポッカリ穴が開いたようで……
それを埋めようと、キミを想い自慰行為《オナニー》をしてしまうわけだが——
遥ちゃんで自慰行為《オナニー》するようになってから、オレの、キミを見る目も日に日に変化、エスカレートしていく…今や言葉にできない分析不可能な胸の奥から湧き出てくる情念が、オレの体を支配し……理性による肉体制御不能という状況を呈し始めている……(30秒)
2
うひょ〜〜っ
ほっほっほ——っ♨
は〜〜…
は〜〜〜〜
るかちゃんだあああぁ〜〜っ♡

ああ、かわいい♥かれん♥
かれんな………
そして汚れを知らな(ー)
瞳————っ♥
ドキドキドキドキ
ドキドキドキドキ
ああ〜〜………
なのに、オレの眼は………
ぼうん
その清純な顔立ちとは、アンバランスな………
ぼうん
豊満な乳房に、視線を合わせ………
ドキドキ
ドキドキ
うああ〜〜♨
はちきれそうな肌でおおわれた、すら——っと長い足………
ああ〜〜、
その足をたどって上へ向かい………
スカートで隠されたパ…パンティーの中に入ると…そこには、オレが何度も夢想した未だ見ぬものが存在………

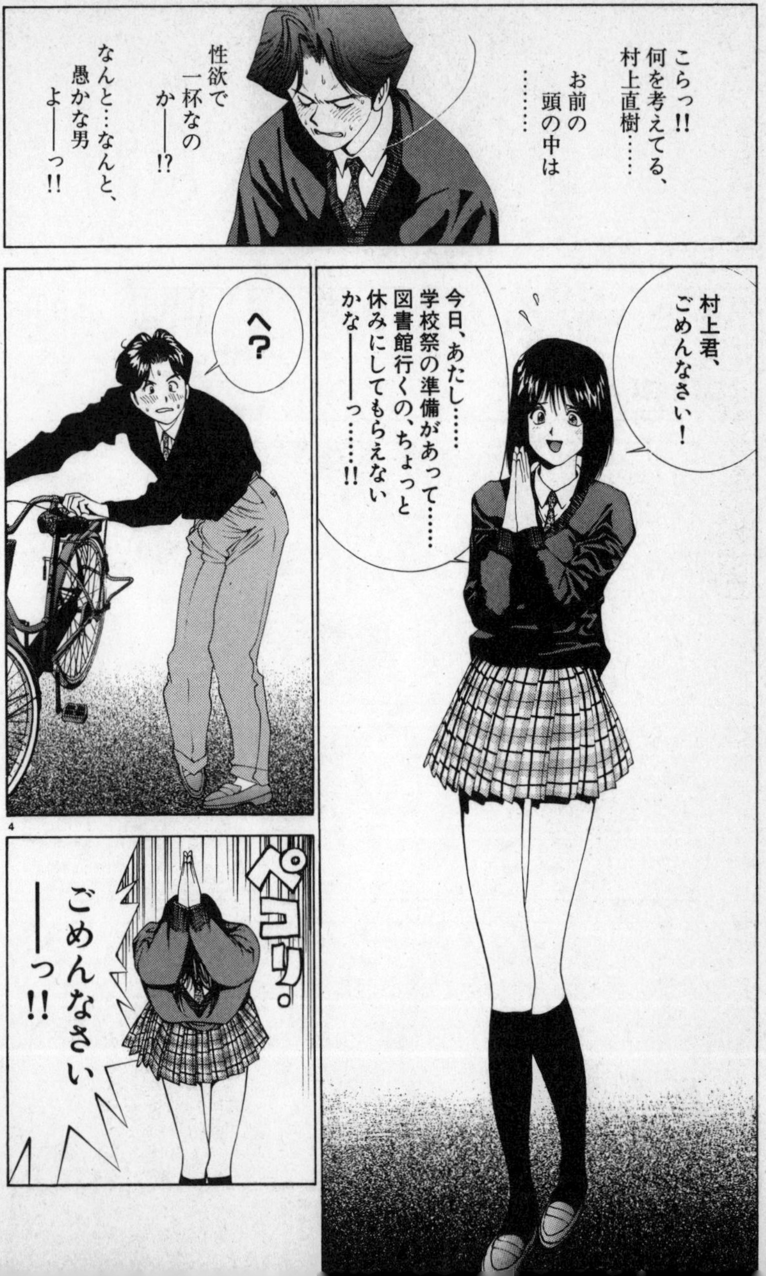
こらっ!! 何を考えてる、村上直樹……
お前の頭の中は……
性欲で一杯なのか──!?
なんと…なんと、愚かな男よ──っ!!
村上君、ごめんなさい!
今日、あたし……学校祭の準備があって……図書館行くの、ちょっと休みにしてもらえないかな──っ……!!
へ?
ペコリ。
ごめんなさい──っ!!

ぷるる
ひ〜ん
で……
でけえ〜〜〜っ
お……怒ってる?
あっ、呆れてるのよね!? その表情…… "せっかく勉強を教えてやろーってのに、オレを振って学校祭如きにうつつを抜かすとは、許せん女だ"って……
い……いや……そんな!
や……やべ——っ! オレ、怖い顔してたか?
ぜ——んぜん怒ってないよ……!
うん!
だって、遥ちゃんの生き方って"今を生きる"だろ!?
東大入試に備えての勉強も、学校祭の準備も、テニスも、お弁当つくるのも、楽しんでやってるんだから……
理解あるところを、見せなきゃ……
嫌われちゃうもんな——!

ありがと——、村上君っ!!
さすが村上君っ、理解ある——っ!!
ぷるん
うぉお——っ
遥ちゃんの胸が弾んで
……オレの胸を弾ませるううう——っっ
ほんっとごめんね——!
みんな待ってるから、行きます……
ごめんね、村上君!
気にしないで……早く行っていいよ!
ペコ
ペコ
じゃっ…
ダッ.
うわあーっ、見えそう——っ!!

6

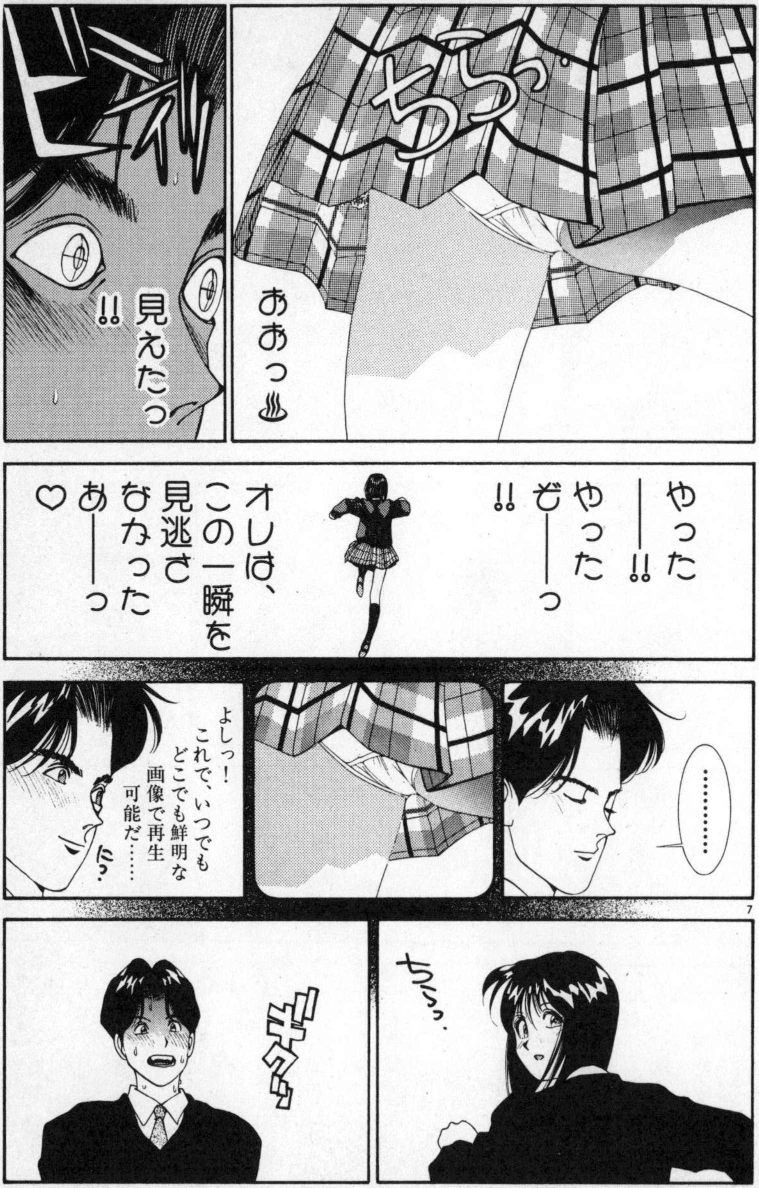
ちらっ
おおっ
見えたっ!!
やった——!!
やったぞ——っ!!
オレは、この一瞬を見逃さなかったあ——っ♡
…………
よしっ!
これで、いつでもどこでも鮮明な画像で再生可能だ……
た?
ちらっ
ギクッ

8

9

学校祭は、1年生から3年生までが縦割りで同じクラスごと一緒のグループを組み、クラス対抗で出しものを競い合う……
学校祭の主役は、1、2年生であり……
たたたたた
大学入試のある3年生は、もちろんほとんど参加しない……
ごめーーん、待ったーーっ!!
もっともオレは、学校祭などバカバカしくて、1年のころから参加する気にはならなかった……
でも、遥ちゃんはオレと違って、大のお祭り好き!!
止めれば、オレが彼女を縛ることになる……彼女の生き方は、こういう生き方なんだ!
だからこそ、遥ちゃんは輝いて見えるんだ!!

し…しかし、それに比べ……オレは、なんと情けない男なんだ!!
ドキ ドキ
キミの居ない図書館に……オレは、1人で行くことができなくなってしまった……
ドキ ドキ ドキ ドキ
恋とは、恐ろしいものだ……
ドキ ドキ
陥ってしまうと、もう相手の居ない人生など考えられなくなってしまう……
全てに恋が優先され……
ドキ ドキ ドキ ドキ ドキ ドキ
自分のからだも、自由を失い……
ドキ ドキ ドキ ドキ
思考さえも鈍り、全てが恋にコントロールされ……
人は、ただの操り人形となっていく……
ドキ ドキ ドキ ドキ
しかし……この耽美で暖かな世界………
ドキ ドキ ドキ ドキ
キミの存在がそこにあるだけで、何物にも代え難い幸福感が、そこに生まれる……
ドキ ドキ ドキ ドキ
11
うああ――っ!!

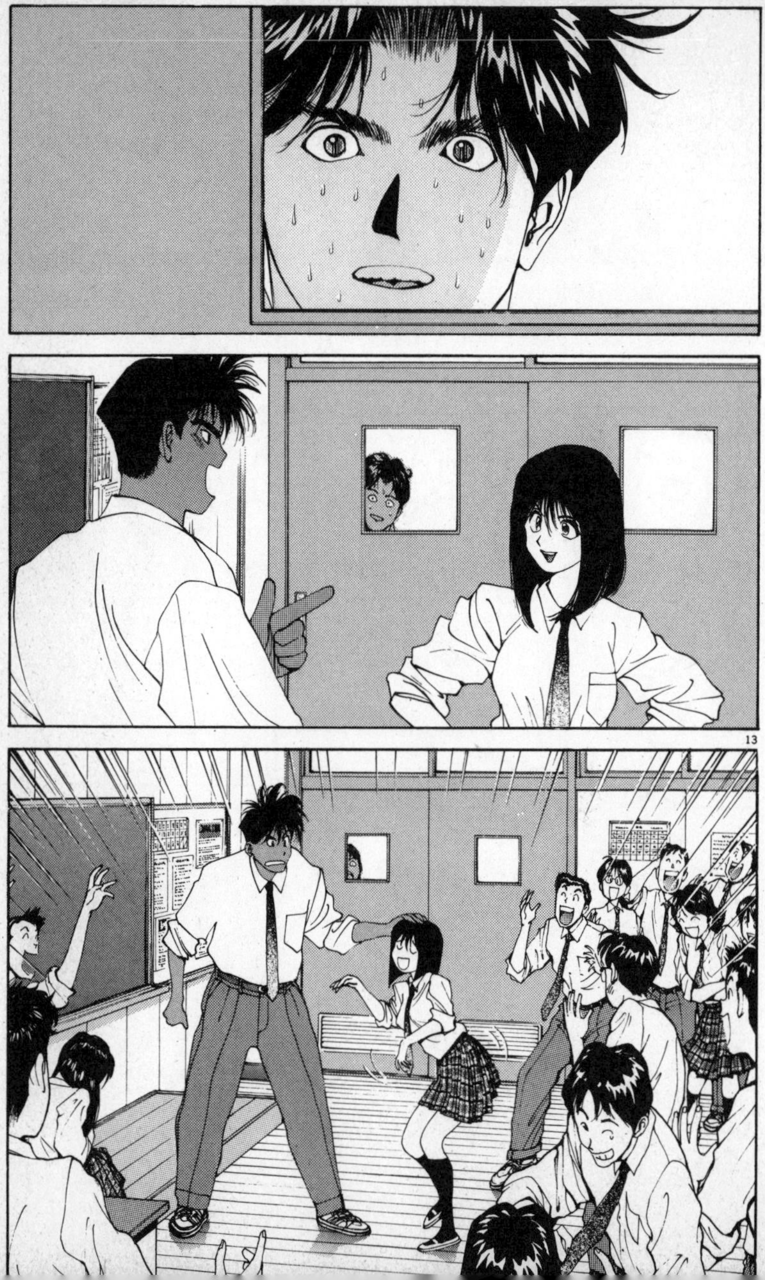

あははは
おっかし——、水野先輩——っ!!
水野、お前あたま大丈夫か——?
ドンッ
失礼なっ!! ボクは、東大受けるんだぞ——っ!!
はははっはっは
さ——みんなー、へんな奴はほっといて、練習練習——っ!
ぽん
ぽん
朝倉《あさくら》く〜〜〜ん!! 朝倉く〜〜〜ん!!
あはは
まるで漫才っスよ、朝倉先輩——っ!!

遥ちゃん……
オレと
一緒にいるとき
より……
いきいきしてる
……
あの……
朝倉と呼ばれてる
男とは、
まるで……
あ、うんの
呼吸……
長年寄り添った
夫婦のような……

でさ——っ、バカみたいなの——!
へ——!?
ギクッ!!
てくてく
てくてく
ああっ、あの2人は遥ちゃんの友達——っ!!
やばいっ!!オレのこと、またのぞきをしている変態だと見たぞ——っ!!
……………

16

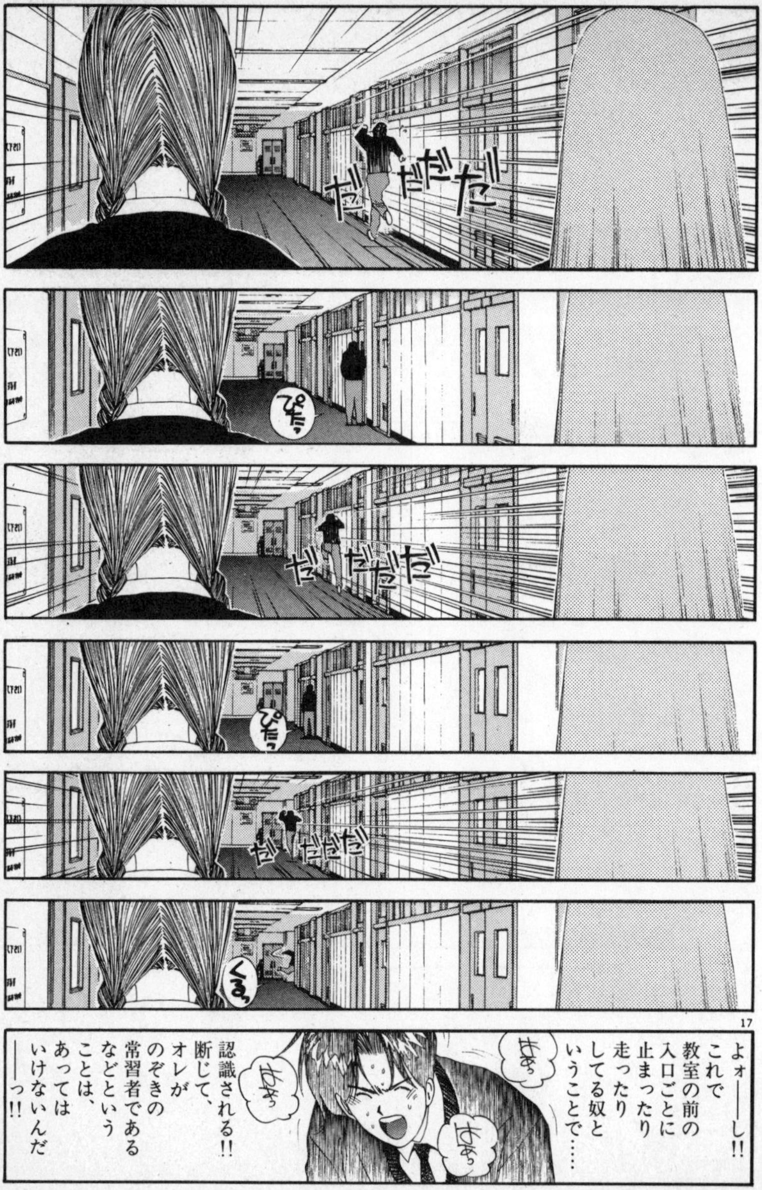
だ
だだだ
ぴたっ
だ
だだだ
ぴたっ
だ
だだだ
くるっ
よォーーーし!!
これで教室の前の入口ごとに止まったり走ったりしてる奴ということで……
はあっ
はあっ
はあっ
認識される!!
断じて、オレがのぞきの常習者であるなどということは、あってはいけないんだーーっ!!

ねー、ねー、みんなー!!
知ってるーっ!? 机の中に潜んで女子の着替えのぞいてた男……!!
村上直樹ー?
そう、またのぞいてたのよー!!
げーっ!!
気持ちわりー!!
でも、きっと何か深い事情があるのよ……
は……遥ちゃん……
そんなのねーて…
頭いい奴ほど、スケベなんだてー!
げっ!? この声は、あの色黒の男の……
へーっ……
そう!そう!
気ィつけんといかんにー!!
なっとくするなよー!!
わかってるってーっ!
ぺしっ
あたっ…
違う!! 断じて違う!!
オレは、スケベなんかじゃないっ!!
しょぼん
この日、村上は35本も抜いた(新記録)。

●第25回●
亀裂

10月前期・5教科5科目校内模試結果(800点満点)

順位	クラス	氏名	得点
1	3－A	村上　直樹	765
2	3－B	荒木　淳	760
3	3－A	斎藤　好一	755
4	3－C	小室　時恵	750
5	3－A	赤名　英之	748
6	3－D	中熊　一郎	744
7	3－B	倉持　太一	741
8	3－D	水野　遥	735
9	3－B	堀　靖樹	733
10	3－A	有藤　智文	732
10	3－C	竹下　亜紀	732
12	3－J	大江錦太郎	730
13	3－C	和田　守弘	721
13	3－C	石原　隆	721
15	3－D	和田美和子	720
16	3－B	鳥光　裕子	715

2

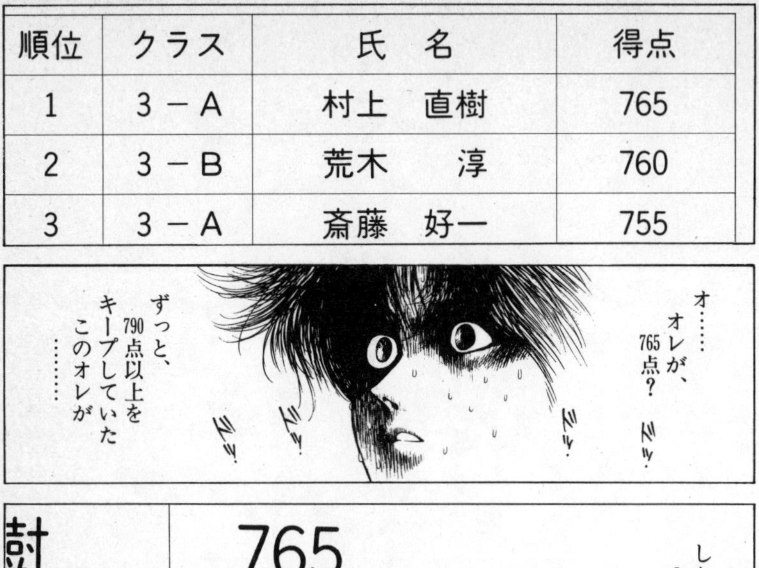

順位 クラス 氏名 得点
1 3－A 村上 直樹 765
2 3－B 荒木 淳 760
3 3－A 斎藤 好一 755
オ……オレが、765点？
ドッ
ずっと、790点以上をキープしていたこのオレが……
しかも、2位の男と5点差だと？
樹 765
淳 760
2年生のときから、2位とは大差でトップを取ってきたオレが……

3

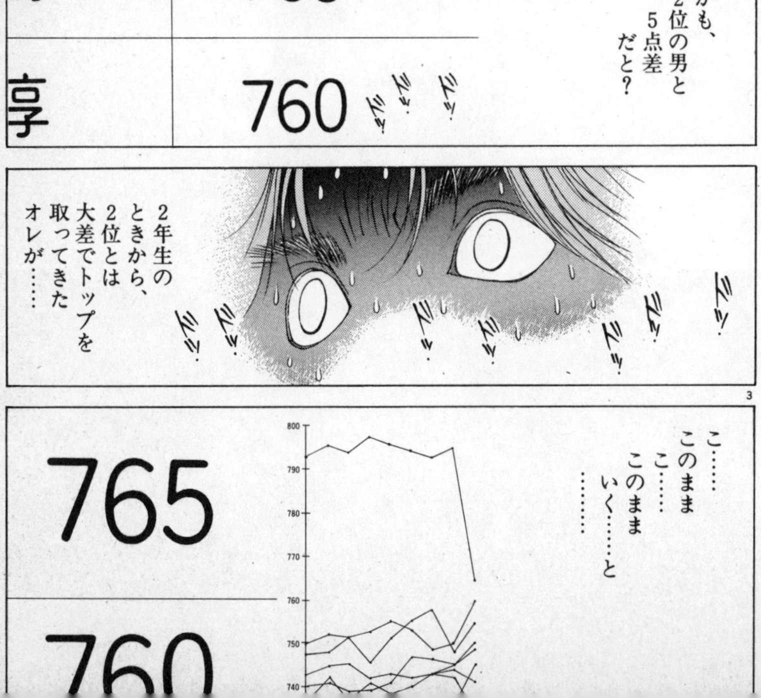

こ……このままこ……このままいく……と……
765
760
800
790
780
770
760
750
740

東大不合格。
ギリー
ギリ
ギリッ
ギリー

水野――っ！お前、本当に東大受けるんか――っ!?
てく。
てく
あ――、やだね――！やだやだ…何度も、同じこと言わせないでよ――！
てく
てく
いや、1回のテストで全てを判断するものじゃない……
冗談は、胸だけにしろよ――っ！
てく
てく
なにィ――？どーいう意味よ？
ははははははははは…
てく
てく
でも、このままだと東大どころか、入る大学さえなくなってしまうぞ!!
でか過ぎるんだわ、そのおっぱい！
てく
てく
へへへんっどんなもんだい！
ぷるぷるる――ん！
は…遥――……
てく
いやっ、大丈夫だっ！このテストは、たまたま偶然調子が悪かったんだ!!
らっき――♡
てく
……
てく
てく
でも、もしかして……今までが偶然よかったとも考えられるぞ……
このドスケベ――っ!!
ポカ
ポカ
ポカ
どた
どた
どた
どた
ははは
ムカッ
なんだ？こいつらは――っ!?

小学生じゃあるまいし!!
廊下ぐらい、静かに歩けんのかあ――?
あ……ごめん!
あっ……
村上君っ!!
えっ!?水野さん?
隣にいるのは、あの朝倉とかいう……(2秒)

村上?
ごめんなさいい!
お騒がせしました……
あ…いや…
謝るのは、こっちだよ!ごめん……怒鳴ったりして……
ぷるるるる～ん
うわ——いっ!ぷるる～ん♡
さっすが秀才のぞき屋、村上直樹だわ……水野の巨乳の弾むところを見逃しとらんもんな——っ!!
うぅっ!?
朝倉め——!!
そんなに、でかいかナー?
水野!お前、こいつと知り合いだったんか——っ!?
知り合い?
ちらっ
コクッ
ドキ ドキ
言ってやれ!言ってやれ!この無礼な男に、〝遥ちゃんとオレがつきあっているんだ〟ということを……自分の身のほどをわからせてやるのだぁ——っ!!
そろそろ、オレと遥ちゃんの交際は、公にすべきだ……

知り合いだなんて程度じゃないのよ……村上君と私は、とっても深い関係なの……
ぽっ
おお——っ!!遥ちゃん……そ…そこまで言ってくれるか——っ!!
ねっ!? 村上君!
ああ……
えっへん。
ガーン
はっはっはっ……驚いたか、朝倉!? うむ、驚いてるな——っ……よしよし!お前のような軽い男は、
オレと遥ちゃんの
この深い関係に割って入ることはできないのだ——っ!!

きゃっ!恥ずかし♡
深い関係って………
キスとか乳もまれたりしとるんか——?
こ……こいつ、あせっているとはいえ…なんという失礼な質問をっ!!

ふふん♡ もっと 深いわ……
キスや乳もむよりも深い？ オレ、遥ちゃんにそんなことしたか？ あっ……遥ちゃん、佐野《さの》とのキスを オレに見られて しまったことを、深い関係と とらえているのか!?
じゃ……じゃあ、お前ら…… ガンガン SEX しとるんかて？
SEX ガンガン？ うふふっ♡ もっと……もっと深い わよ……
くすっ
SEXよりも 深い!? も…もしや 遥ちゃんっ…… オ、オレが 毎日20回以上も、遥ちゃんと SEXしている ところを想像しながら オナニーしていることを、感づいて……げげ—— それを、SEXよりも深いと 解釈して……
遥ちゃーん♡
あっ!!
正正正正下
はっ
もしかして…… 遥ちゃんも、オレのオナニーの タイミングに合わせて 一日20回以上 オナニーしている んじゃないのか!? そうすれば、確かに空間的には 離れているが、空想の世界で、オレ達は すさまじい性交を してることになる!! 遥ちゃん…す…すご過ぎるぞ、それは——!!
(一秒)
村上くーーん♡
あっ!!
正正正正下
もしかして、SMまで？
ちょっと 近づいた カナ……
SMに 近い？
うひ——っ!! 水野——、お前 そんな童顔で 一体どんなこと しとるんだて——っ!?
ガーン
遥ちゃん キミは…… そこまで……
教えて ほしい？
教えて、教えて—— よろしい。
コホン
オ…… オレも、訊《き》きたい ぜ——っ!!

あたくし3年D組水野遥は、東大合格を目指し……
なあ———んだ……
天才、村上直樹先生にお勉強の特訓をしていただいているので———す!!
じゃじゃじゃーん
はははははは
なんだて———!? 驚かさんといてちょ———っ!!
それが、どう深い関係なんだよ———?
この村上先生は……
子どもだったあたしに、大人の歓びを教えてくださったのです……
ううっ!? 遥ちゃん、男心をくすぐるそのセリフ、一体どこから……
村上先生が教えてくださったお勉強……その歓びなしでは、あたしの生活は考えられなくなりました……
ううう〜〜……
しかし……き……
気持ちいいい〜〜〜……
10
ああっ! こんなに勉強が楽しいものだったか……
あたしの体は、お勉強の虜《とりこ》になっていきました。
どれ どれ
おお———っ!!
そして、なんと! 今回の試験で、学年8番!
前回より、7番も上がってしまいました。

ああ――っ!! これも、みな村上先生のお蔭……
ありがとうございます。これで一歩東大へ近づきました……
ヘコ ヘコ
うむ。キミも、よくやったよ。
ああ――っ!! なんて気持ちのいいことしてくれるんだ――っ!? 遥ちゃ――ん、キミはボクの心を一生懸命喜ばそうとしてるんだね――!!
すごいんだナ――、村上って……
勉強できるだけじゃなく、教えるのもうまいんだ――!
へ――っ…… 水野って、本気で東大目指しとるんだ――っ!?
ほんと? 遥……
何度も言ってるでしょ――! あたしは、東大目指してるって――っ!
たく――…… 今まで全然信じてなかったナ!
やだネ――っ!
ぺぺ
そうか……
じゃあ、オレも言うかァ……
何言うんだ、こいつは――?
実は、オレもよ――……
東大目指しとるんだわ。
なんだとォ~~~っ!? 30番以内に一度も名前を連ねたことのないバカが、東大目指すなんて言うんじゃね――っ!!

また——……冗談は、鼻毛だけにしろよ——!
はは
なんだて——っ、それは?
オオ——いいつっこみ!
いいぞ、遥ちゃん!
はははは
どーいう意味だて?
よく出してるじゃない、ぴろ~~~っと!
はは!ははは
こりゃ、けっさくだ——っ!!
オレは、本当にまじに目指しとるんだ……
東大を!!
うそ!うそ!
だって、朝倉君って勉強嫌いじゃない!寝ても覚めても、演劇のことばかりでサ……
東大には、
和田島《わだじま》隆志《たかし》先生がいるんだ。

12

誰——？
それ……
英文学の教授なんだわ……
2年のとき、その先生の書いたシェイクスピアの翻訳を読んで、感動したんだ…
へ——っ……
朝倉君、本気なんだ——っ？
ううっ……やばいっ!!
朝倉め……ちょっとかっこいいぞ——っ!!
ま……
今のオレの成績じゃ、東大には程遠いけどよ——っ！
へへっ
東京行って、劇団に入って——バイトしながら、受験勉強して——
何浪してでも、いつか東大に入ったるがや……見とれよ——っ！

朝倉君……
見てるわ——……
ああ〜〜〜っ、遥ちゃん!! その乙女のキラキラした眼は〜〜〜っ!? 朝倉を映して、心躍らせ始めているのか〜〜〜〜〜っ!!
ドキドキ
ドキドキ
ドキドキ
ふっ……
つい、まじに夢を語っちまったぜ……
夢か……いいね——っ!
ああ〜〜〜っ!! 遥ちゃんの心が、朝倉に傾き始めている〜〜〜〜〜っ!!
そこで!
キッ
なんだ なんだ、朝倉!? ガンつけやがって——!!

オレにも、勉強教えてちょーーっ!!
村上大先生〜〜〜〜っ♨
ぴとっ
すりすり
な……な……なにィ〜〜〜っ!?
はははは
はははは
そうだっ、村上君!
東大受ける仲間として……3人で一緒に勉強しようよーーっ!
おおーーっ!! そいつは、いいなーーっ!! 3人でがんばって勉強して、東大に行くーーっ!! 最高だねーーっ!!
ぞっ
村上ーーっ、水野ーーっ、今日から一緒に勉強だがやーーっ!!

15

やだ。

どうして オレが、お前なんかに 教えなきゃ いけないんだ!?
オレは、遥ちゃんの 専属教師 なんだ!!
ねー―、遥ちゃん♡
え……?
ええ……
うっ……
よしっ、今から 東大を 目指して、学校の 図書室で 勉強しよう!
さー―あ、行こ! 行こ! 遥ちゃん♡
東大! 東大――っ!!
17
朝倉君……

悪かったなーーっ、村上ーーっ!! ズーズーしいこと言ってまってーーっ!!
許してちょーーだい!!
へっ! やっと自分のズーズーしさに気がついたか!?
あのがさつな性格なんとかならないかなーーっ!
たく、しよーがないよね、遥ちゃん!?
そ……そうね……
てっ てっ てっ てっ てっ てっ
遥ちゃん……キミは、オレの気持ちが、わからないのか!?
3人で勉強なんかできないことぐらい、わからないのか!? オレがキミを一人占めしたい気持ちが、わからないのか!?
キミは、オレのこと愛していないのか!?
ドキ ドキ ドキ
遥………
村上…
直樹…
か……

18

●第26回●
前夜

あ…
あ……
はあっ
む…
村上……
くん……
はあっ
ああぁ…
遥ちゃん…
もう
だめだ……

む…村上…くん……
あうっ…
す…好き……
大…好き……
オ…
オ…オレも、大好きさ……
む…村上君……
いっ…しょに……
も、もちろん…さ……
は…はるか…ちゃ…

4

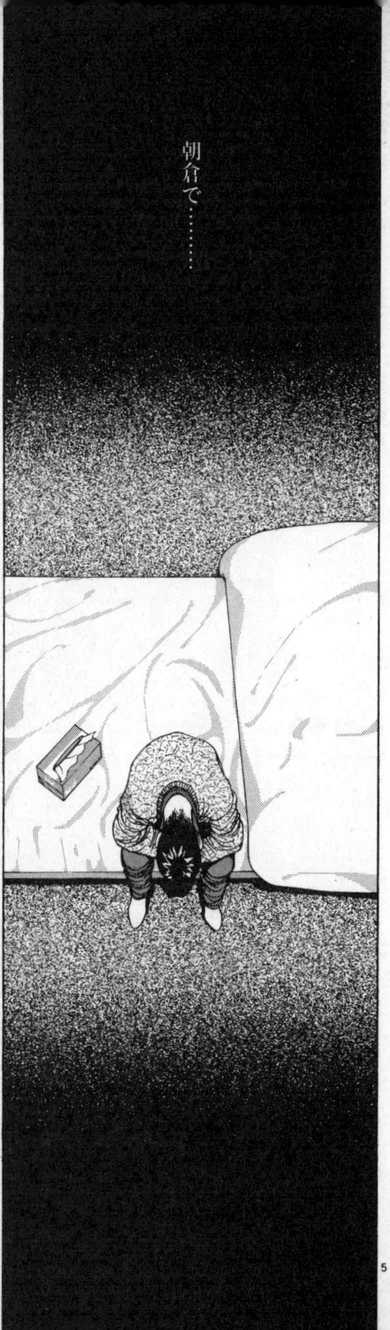
朝倉で………

いって
しまった……
ぐうっ
……
最後《フィニッシュ》で
朝倉の顔が
出てきてしまう
自慰《オナニー》のほうが、
圧倒的に
多い……
多過ぎるっ!!
朝倉
ああぁ
……
朝倉の
顔が、
頭に
こびり
ついて
離れない…

オレと遥ちゃんは、恋人同士……
朝倉と遥ちゃんは、ただのクラスメート……
なのに何故……あいつの存在を、オレはこんなに怯《おび》えるんだ？
おーい、
水野〜〜〜！
水野ーっ！
朝倉《あいつ》と居るときだけに見せる、遥ちゃんの屈託のない底抜けに明るい笑顔……
たく、朝倉はな——っ！
ううっ、せつないいっ……
いやっ！遥ちゃんは、オレとつきあっているんだ……
オレのことを愛しているんだ。
村上君。
はっ!!

6

〃愛してる〃なんて……
オレは、遥ちゃんに一度も言われたことないぞっ。
世界で一番あなたが好きです。
ううう……
うっ!!
それどころか、朝倉を東大に入れるためにオレに勉強を教えてやれ、なんて……
も、もしかして遥ちゃん、ずーーっと前から朝倉とつきあっていて、2人で東大に行きたいがために……
水野ーー。
朝倉ーーっ。
オレとつきあった……
つきあってるんだよね。

そんなことは、絶対ないっ!!
絶対ないっ!!
し……
しかし……
万が一……オレが、
東大に落ち……
2人が、紛《まぎ》れで受かったりでもしたら
……
う…うう…う…
し……心臓が……
苦しい!!
あ…あ…あ…
うあ……
あ……

8

なんとか……
なんとかしなければ。
勉強だっ!! 予定どおり勉強すれば、オレは東大合格確実なのだっ!! 焦るな直樹……勉強の妨げになっているものを排除すればいいのだ!!
勉強の妨げになっているもの……それは、それは……
恋《ラブ》……嫉妬《ジェラシー》……自慰行為《オナニー》……
頭の中で一杯になっている、爛《ただ》れた妄想だっ!!
この爛れた妄想の世界に逃避し、自慰《オナニー》に耽《ふけ》る荒《すさ》んだ日々を打破するためには、現実の世界に於ける抑圧の解放が行なわれる必要がある……遥ちゃんが、オレのことを本当に愛してるかどうか確認できない抑圧……性欲をまったく充足できない抑圧……朝倉の存在から来る抑圧……
その抑圧を解放する方法……
それは それは……

はるかちゃんとキス!!

ああっ、キスに興奮して……また一回やってしまった……
ふうっ
いかんっ!! は、早く……
現実の行動を、取らねばっ!!
オ、オレにはもう時間がない……
早く遥ちゃんとのキスを、完遂し……
受験態勢を立て直さねば……
下がった成績を取り戻すのにかかる時間も、バカにはならないぞ……勉強は、予定より大幅に遅れてしまっている……
明日だっ……
明日キスしようっ!!
キッ
明日は、遥ちゃんと図書館で勉強することになっている……
勉強は、午前中にみっちり行なうとして……
午後…午後には、勉強を早めに切り上げ、
ムードのある喫茶店に入ろう!

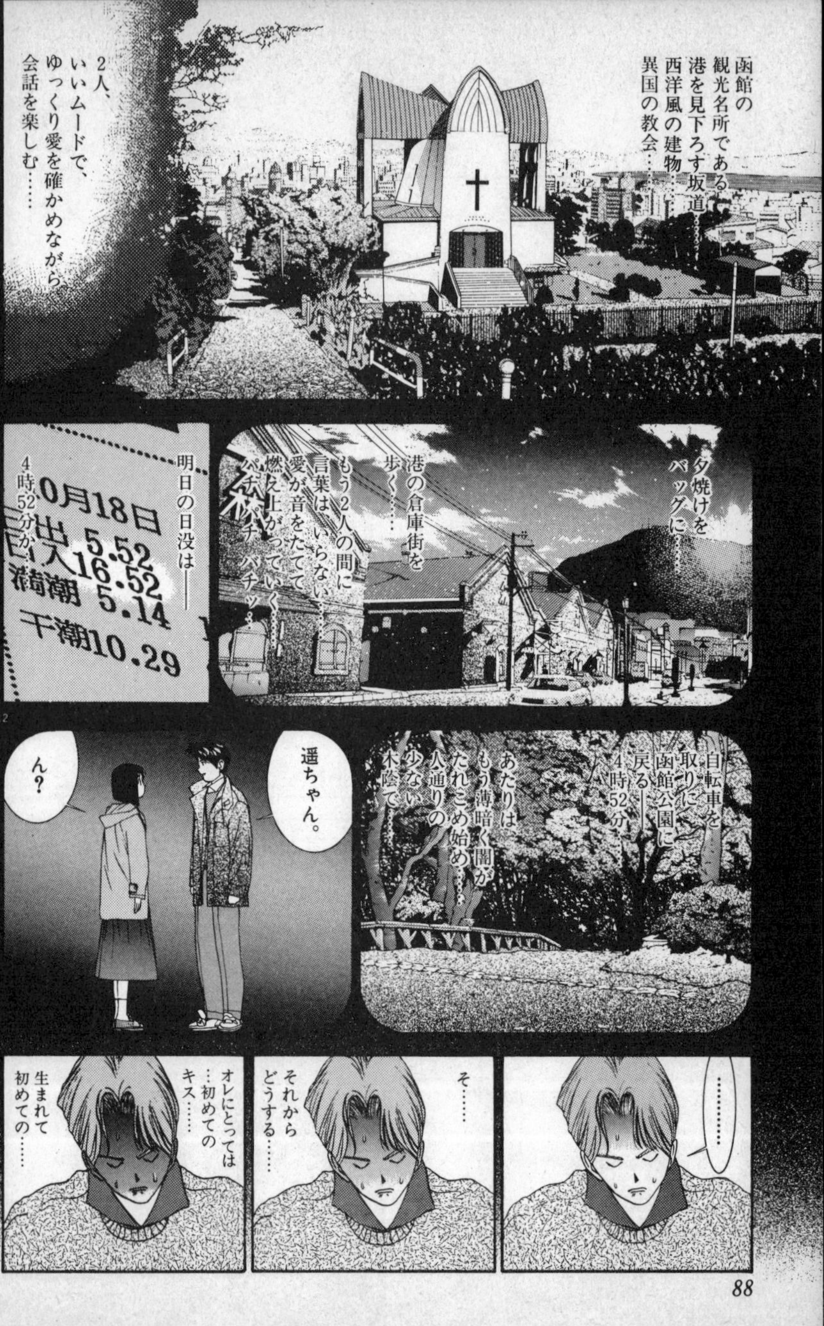

函館の観光名所である港を見下ろす坂道……
西洋風の建物……
異国の教会……
2人、いいムードで、ゆっくり愛を確かめながら会話を楽しむ……
夕焼けをバッグに……
港の倉庫街を歩く……
もう2人の間に言葉はいらない……
愛が音をたてて燃え上がっていく……
パチパチ パチッ…
明日の日没は——
0月18日
日出 5.52
日入 16.52
満潮 5.14
干潮 10.29
4時52分か
自転車を取りに函館公園に戻る——4時52分
あたりはもう薄暗く闇がたれこめ始め……
人通りの少ない木陰で……
遥ちゃん。
ん？
…………
そ……
それからどうする……
オレにとっては…初めてのキス……
生まれて初めての……

しかし、遥ちゃんは佐野のスペシャルストレートキスを受けている…
ワク ワク
うううっ!!
興醒めしてしまう下手なキスをしてしまっては、元も子もないっ……
おう、一緒に行くか? お前ら、2人の初夜をオレが手とり足とり指導してやるよ! 行こうぜ——っ、村上——っ!!
さ… 佐野か?
な——んだ、村上!
キスのテクニック? はっはっは——っ、なかなか進展してきたじゃないか——!?
おう、今からそっちへ行って教えてやるぜ!
よし、じゃ10分後になっ!

さすが、持つべきものは友だな。
ははっ、ガッ――ンとキメてやれよ！三角関係のライバルがお前だから、オレは諦めてやったんだ……お前らの初夜まで、オレが指導してやるからな！
それは、遠慮しておく。
そうか。
静かで暗いところまで持ち込んでからだな……よし、村上、お前遥ちゃん役をやれ……
えっ？
大切なのは、女の子の気持ちになることだ……女の気持ちさえわかっちまえば、何をどうすればいいか、すぐわかる！
な…なるほど…勉強になるな……
遥ちゃん。
は…はい。
村上…お前も、芸達者だな！
ぽちぽち
そ…それほどでもないよ……！
あ、遥ちゃん……まつ毛に、何か付いているよ……
え？

ちょっと取ってあげるよ、目つむってごらん！
え？
こう？
そうそう…
ふっ、使い古された手だが……声のかけ方、手の持ってき方次第で、とっても効果的に使えるんだな……
!!
う……あ…あ…あ…あ……
あ…
あ…
あ……

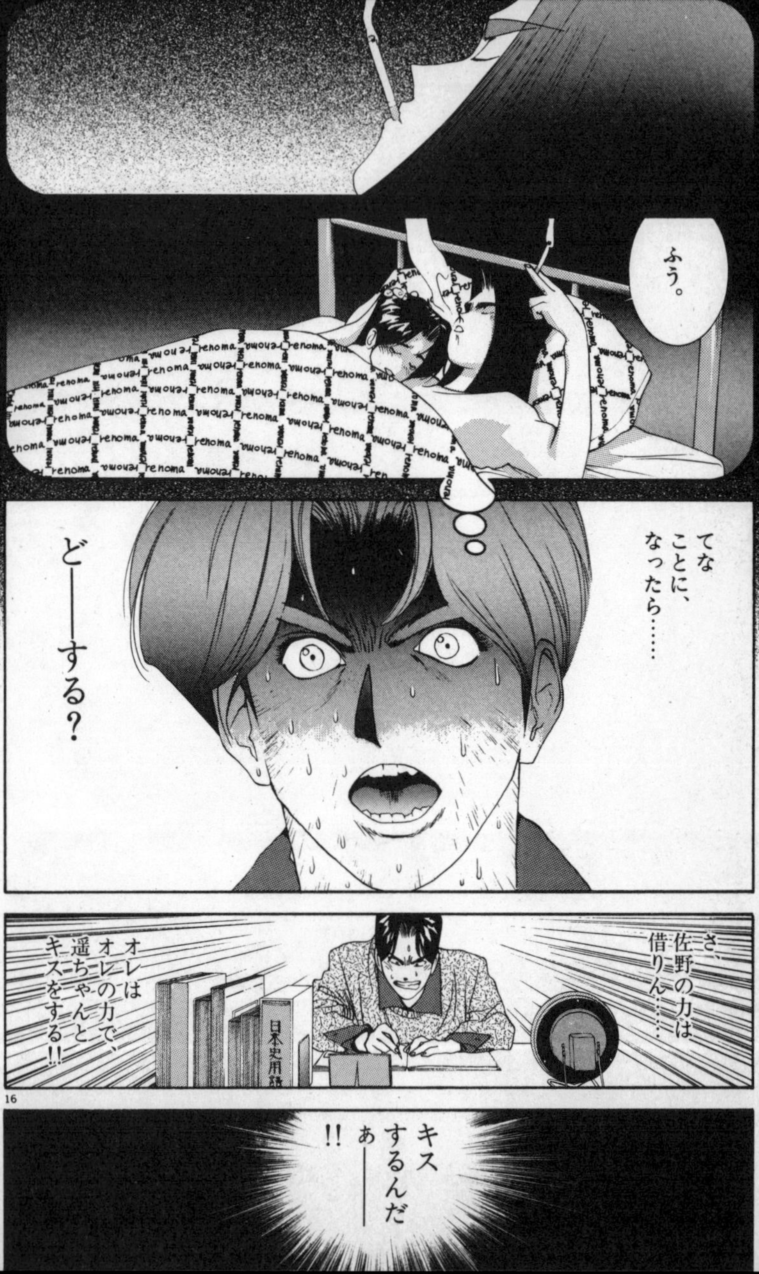
ふう。
てなことに、なったら……
どーーする？
さ、佐野の力は借りん……
オレはオレの力で、遥ちゃんとキスをする!!
日本史用語
キスするんだぁーー!!

No.

Date 10 .17 Sat

ファースト キス 計画

日時：10月18日（日）　歩く速度：時速4km＝分速66.6m
持ちもの：財布・歯磨きセット・鏡
場所：函館山周辺　（4000m/60分＝66.6m）

AM 8:30 起床（目覚まし3個用意）
8:35 洗顔・歯磨き（20分以上丹念に…）＋デンタルフロス
9:00 朝食（消化にいいものを…。腹7分目）
9:30 トイレ（30分以上粘ること。水野宅訪問時の轍を踏まぬ様
10:00 歯磨き（綺麗になったかどうか必ず確認）㊟鼻毛・目脂・耳垢
整髪・身仕度（鏡の前で何度もチェック）㊟爪・鼻脂・口臭
10:30 青柳町駅に出迎え（自転車で…5分）〈待ち合わせは11時〉
11:00 遥ちゃん登場〈緊張し過ぎないように落ち着いて…!!普通にな〉
11:10 函館図書館で受験勉強（和やかに。少々凄いところを見せて）
12:30 函館公園で昼食（多分、遥ちゃんお手製の弁当。うまい♡）
PM 1:00 函館公園を散歩（さりげなく遥ちゃんを褒める。あくまでさりげなく）
1:30 函館図書館で受験勉強（「たまには息抜きするといいよ」と言う）
2:45 函館図書館を出発（自転車は図書館前に駐輪しておく）
3:15 元町方面を散策（話題は自分の幼い日の想い出の場所）
3:30 喫茶 元町茶寮でお茶（話題は遥ちゃんと初めて会った頃の事）
4:20 末広町・豊川町附近を散策（話題は函館の歴史と名所旧跡）
—函館を散策することが歴史の勉強になることを今日の中で—
4:52 日没（周りは薄闇に包まれてくる）
5:00 函館図書館に自転車をとりに帰ることに気がつく。
5:02 遥ちゃんを自宅まで自転車で送るからと約束。
5:12 図書館へ行く途中、話題は勿論遥ちゃんの魅力について。
遥ちゃんの感情が高揚して来たらオレのどこがよかったか尋ねる。
5:20 2人さり気無く愛しあっていることを確かめあう。
5:30 突然立ち止まる。少しの沈黙の後　「遥ちゃん……」
5:31 「村上くん…。」　「オレ、遥ちゃんのこと…」　「……」
「初めて会った時の何倍も……」（村上の両手は遥ちゃんの上腕部に）
「愛している」（←ほんとに言えるか！）※言えなくても目で語ろう
5:32 キス　そっとやさしく（歯がぶつからない様に）

やったー

喫茶店のトイレで歯磨き

17

うっ!!
まだ……
朝倉の幻影に、支配されて、いる……
見てろよ——……
朝倉——!!
16時間46分03秒後に、オレは遥ちゃんとキスをし……
キサマの幻影を、断ち切ってやるっ!!

◉第27回◉口づけ

計画は万全だ。
僕は……今日……
遥ちゃんと……
ちらっ
遥ちゃんと——……
ドキ ドキ
遥ちゃんと……
ドキ ドキ
はぁ はぁ
わっ、こっち向いた——♡
……
ギュッ
にこっ

1

●第27回●
口づけ

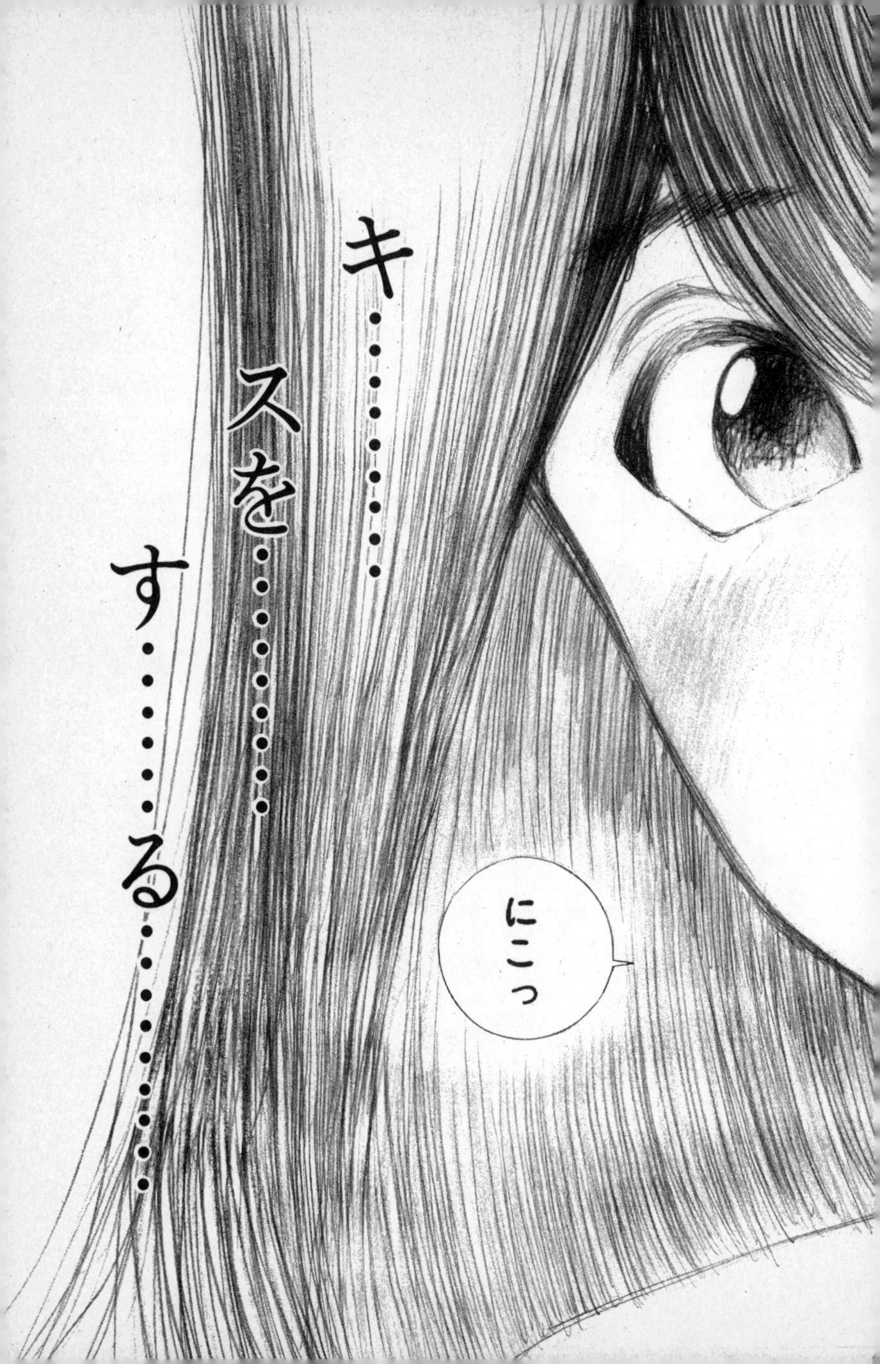
キ……
スを……
す……る……
にこっ

あ……
あ……
遥ちゃん……
ドキ ドキ ドキ ドキ ドキ ドキ ドキ ドキ
あれっ？
遥ちゃんの
頬が、
赤く……
染まって
いく……
そ……
そうか……
遥ちゃんも……
僕と
同じなんだ……
僕が、
遥ちゃんを見て、
居ても立っても
いられなくなるように……
……………
遥ちゃんも
僕を見つめると、
僕と同じように
胸の奥から、体の底から
ワクワクした、あの熱いものが、
こみ上げてくるんだ……
そして
それが、
たくさんの
小さな火柱と
なって、
頭の中を
駆け巡り……
体から飛び出そうとして、
顔の内側に
ぶつかり……
頬を燃やすように、
熱い赤で
染めるのだ……

ああ……
キミも、僕と同じ恋というものを、しているんだね……
恋する相手を見つめ続ける、この心地いい……
耽美な世界を、知ってしまったから……
キミも……僕と同じように……
瞳をそらすことが、できないのか……
ああ……
遥ちゃん……
遥ちゃん……

キス……
するぞ――っ!!
え?
何?
ど、どうした?
はるかちゃん……

わっ!!
は……
遥ちゃん……
ま……
待ってくれ――っ!!
突然、悲しいことを思い出したのかっ!?
キスの計画がバレたのか!?
たたた
も、もしや?
はぁっ
はぁ
ふり向きざまに突然の別れ話!?

遥「あたし……
村上君のこと、
今でも好きよ……
で、でも……
もっと
好きな人が
近くにいたことを、
忘れていたの……
ごめん、村上君」

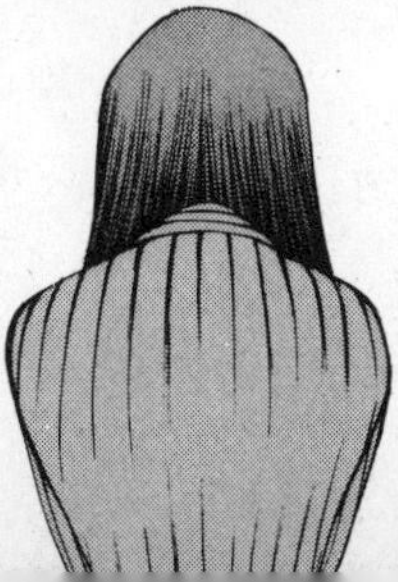

村上「そ、その…好きな
人って……」
遥「……」
村上「誰だよ、そいつは」
遥「……」
村上「朝倉か……」
遥「……うん」
村上「……!?」

うあああああ――っ!!

あははは
はははは
はははは
ははは
ははははは

はぉはぉははははははっ
はぉははははははっ
はぉはぉははははははは
あっはっはっはっ
はっはっはっはっ
ーっひ〜っ
ひぃひ〜っ
ひぃ〜っ
ひぃぃぃぃい〜〜っ
どん
どん
お…
おなかが、
痛い〜っ!!
うぇ〜
ひ〜
ど…
どうしたんだ?
遥ちゃん……
ったく
やだあー、
村上君!!
ったく
やだあ、
村上君?
全《まった》く
嫌《いや》だ
村上《むらかみ》君…
む…
村上君……
と…
突然っ……
村上《むらかみ》の
全《すべ》てが
嫌《いや》だ…
嫌《いや》な
村上《むらかみ》の
全《すべ》て…
全《すべ》ての
村上《むらかみ》は
嫌《いや》だ…
む…
村上君……
と…
突然だけど、
あたし
あなたと
別れたいの……
あ…あ…あ…
あ……

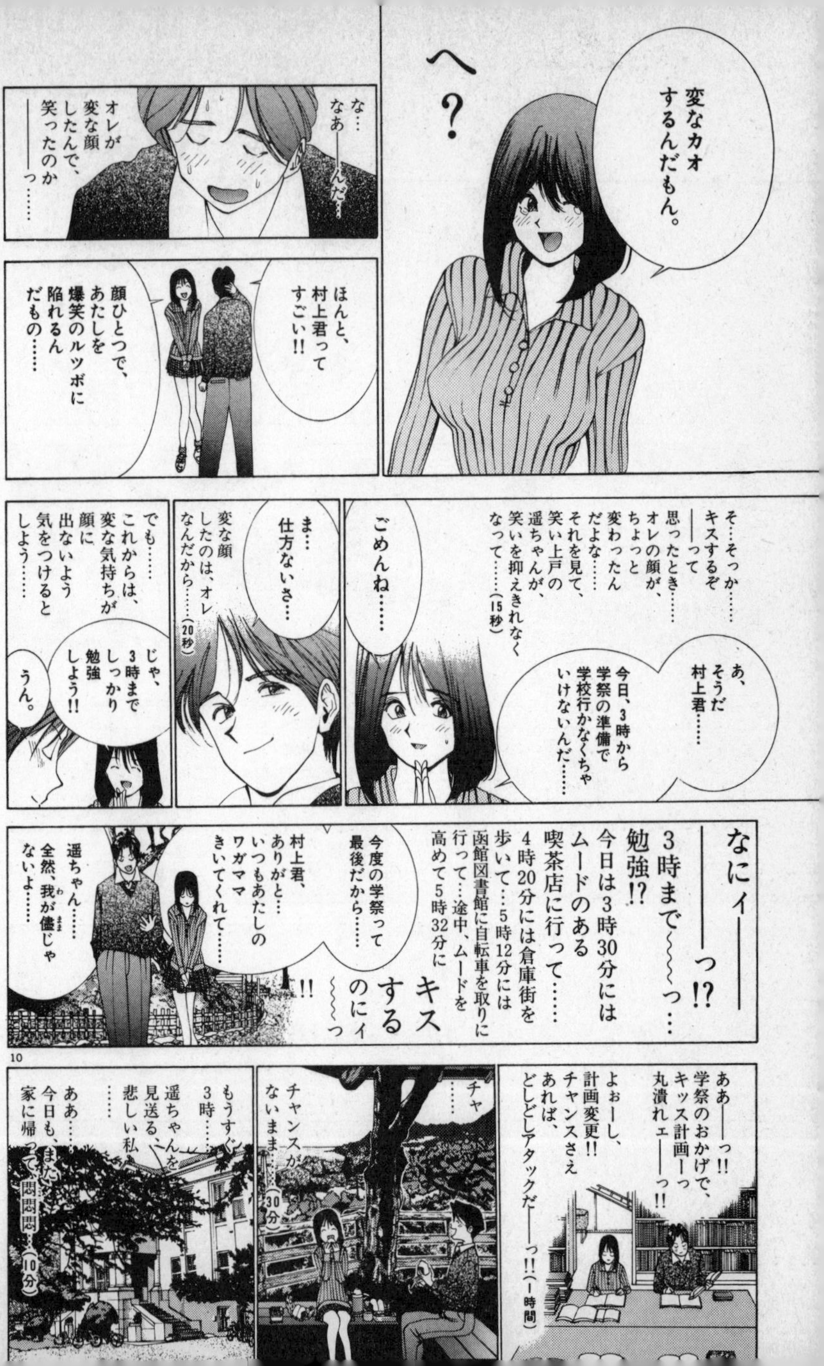

変なカオするんだもん。
へ？
な…なあ――んだ……
オレが変な顔したんで、笑ったのか――っ……
ほんと、村上君ってすごい!!
顔ひとつで、あたしを爆笑のルツボに陥れるんだもの……
そ…そっか……キスするぞ――って思ったとき……オレの顔が、ちょっと変わったんだよな……それを見て、笑い上戸の遥ちゃんが、笑いを抑えきれなくなって……(15秒)
あ、そうだ村上君……
今日、3時から学祭の準備で学校行かなくちゃいけないんだ……
ごめんね……
ま…仕方ないさ…
変な顔したのは、オレなんだから……(20秒)
でも……これからは、変な気持ちが顔に出ないよう気をつけるとしよう……
じゃ、3時までしっかり勉強しよう!!
うん。
なにィ――っ!? 3時まで～～っ……勉強!?
今日は3時30分にはムードのある喫茶店に行って……4時20分には倉庫街を歩いて…5時12分には函館図書館に自転車を取りに行って…途中、ムードを高めて5時32分にキスするのにィ～～っ!!
今度の学祭って最後だから……
村上君、ありがと…いつもあたしのワガママきいてくれて……
遥ちゃん……全然、我《わ》儘《まま》じゃないよ……
ああ――っ!! 学祭のおかげで、キッス計画ーっ丸潰れェ――っ!!
よぉーし、計画変更!! チャンスさえあれば、どしどしアタックだ――っ!!(1時間)
チャ……
チャンスがないまま……(30分)
もうすぐ3時……遥ちゃんを見送る、悲しい私……
ああ……今日も、また家に帰って、悶悶悶……(10分)

あれっ? 遥ちゃんが居ない……
ああ、別れも告げず行ってしまうか、愛しきキミは……
村上君……
ああ、遥ちゃん…そんな茂みの中で、一体何を?
来て……
ちょい
ちょい
ちょい
なにィ――っ!? 遥ちゃん……オ、オレを茂みの中へ誘って……
そ……そうか――っ!! キミも僕と同じ……目の前の愛する人との口づけを交わしたくてたまらなかったんだ――っ!!
わっ……
ぴっ
ぴっ
すっげ―― 展開――っ!?
ああ――っ、遥ちゃん……キ、キミって、なんて大胆!? わかった、わかったよォ――!! キミの想いは、僕と一緒さ…
ドキ
ドキ
想いが一緒なら、体も一緒になろう…口と口で、2人の心身一体感――っ!!
ドキ
ドキ
ドキ

11

ぺろ
ピュルルル
ヒィィィィ
やったあ――、驚いた――っ!!
ぴるるる

こ…
これれ…
今度《ほんろ》、学祭《らくはい》で
お化《ら》け屋敷《ひき》を
やるれひょ…
それれ、
らくはんの人《ひろ》ほ
おろろかほ――
と思っれ、
作っらろ……
本当《ほんろう》に
おろろふは
不安《ふらん》らっらんれ、
村上君《むらはみふん》に
実験台《りっへんらい》になっへ
もらっちゃっら
――
れも、
大成功《らいへいほう》れ――
ヒョオオオオ
ペろ
!
……
ご……
ごめんなさい、
村上君っ!!
ごめんごめん
ごめん……
ごめん
なさい
――っ!!

13

いつも……いつも、あたし自分勝手で……村上君の気持ち全然考えなくて…むちゃくちゃなことばかりやっちゃって………
えっ？涙？
ごめんね…村上君……
ああ…遥ちゃん……そ…そんな……そんなに謝ることはないよ……ああ、キミは キミは……かわいくて…愛おしくて…嗚呼……
遥ちゃんのそんなとこが、一番好きだよ。
えっ!?
ドキドキドキドキ
ドキドキドキドキ

15

おーーいっ、水野ーーっ!!
こんなところにカバンほっとったら、盗まれるぞーーー!!
げっ!!
朝倉!!たくーーっ、函館って狭い※なぁーーっ!!
は…遥ちゃん……キミはお嫁に行く前の大切な体……
茂みの中から2人が一緒に現われて変な噂が立ったら、キミの一生に傷がつく……
ここで密かに別れよう。
水野ーーっ!!
は…はい……
じゃあね、遥ちゃん……
村上君、また明日……
朝倉の邪魔がなければ、オレと遥ちゃんはキスをしていた…ふふっ…2人の間は完全に大丈夫だ…これならいつだってキスできるぞ…朝倉なんて、ただのクラスメイトじゃねーか…恐るるに足らず……はははははは……
やっほーー、朝倉君……
なんだ、そんなとこで何してたんだ?
ちょーーっとカエルの観察をねーーっ!!
おっ!カエルと言えば、これだな……
学祭がんばってネ、遥ちゃん…
ぺろっ

※この唐突な朝倉の登場。ご都合主義に見えますが、本当に函館は狭く、こんなことは日常茶飯事(だと、江川先生は言ってます)。

17

間接キッス!!
あっ
バカ
オレは、まだ何もしていないのに…
進ちゃんは

◉第28回◉
爆　裂

10月後期・5教科5科目校内模試結果(800点満点)

順位	クラス	氏　名	得点
1	3－B	荒木　淳	765
2	3－A	村上　直樹	762
3	3－C	小室　時恵	761
4	3－A	斎藤　好一	760
5	3－D	水野　遥	758
6	3－B	堀　靖樹	755
7	3－B	倉持　太一	753
7	3－A	赤名　英之	753
9	3－D	中熊　一郎	748
10	3－D	和田美和子	745
11	3－B	鳥光　裕子	740
12	3－C	徳田　貞幸	737
13	3－D	朝倉　晃一	732
14	3－A	八巻　和弘	728
15	3－C	和田　守弘	725
16			715

2

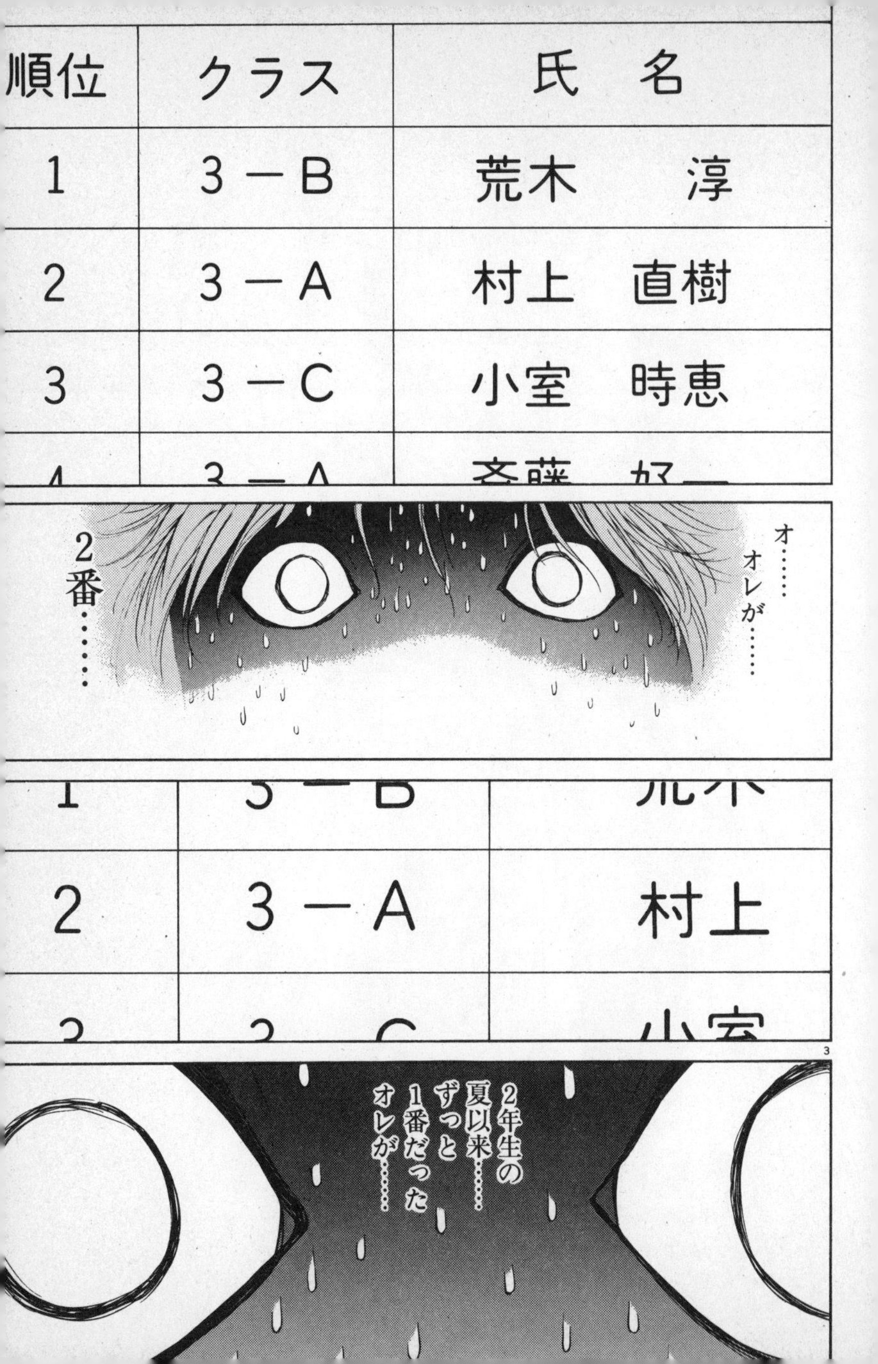

順位 クラス 氏名
1 3－B 荒木 淳
2 3－A 村上 直樹
3 3－C 小室 時恵
オ……オレが……
2番……
2 3－A 村上
2年生の夏以来……ずっと1番だったオレが……

村上君っ!!
コチョ
コチョ
コチョ
コチョ

わっ!!
うああああっ!! 遥ちゃんに…朝倉――っ!! そして、遥ちゃんの友達2人――っ!!
村上君、呼んでるのに返事してくんないんだもん……
スケベなこと考えてたんじゃねーのかー?
よ…よりによって、こ…こんなときにィ――っ!!
村上君、どうしたの? 汗かいてる……
えっ!?
オ…オレは、
そんなに汗をかいているのか?
遥ちゃちゃちゃちゃん……
オ…オ…オレオレは、
オレは…オレ……
オレは、学年1番だった村上直樹
……今は、学年2番の村上直樹
……2番になっなっなっただけで、
汗びっしょりの村上直樹
……は…は…は……
遥ちゃんが、
よ…よ…呼ぶのも
聞こえ
ない
ぐらい
焦焦…汗
…焦って
いる村上直樹
……凄凄凄く格好悪い
村上直樹……
あせ…汗…焦って
汗だくになっているなんて
知られたら辛《つら》い村上直樹……
この場から逃げ出したい村上直樹
……逃げ出したら、
もっと格好悪い村上直樹……
2番になって逃げ隠れする
村上直樹……も…もっと
毅然としろ村上直樹……
情けないぞ村上直樹……(1秒)

そっか──っ!!
くすぐられてんのに
笑うの我慢してたから、
こ──んなに汗かいた
んだね──っ!!
村上君って、
真面目な顔して
真剣に冗談やる
からな──!!
ふき
ふき
へ？
遥──、
あつぃあつぃ!!
よ…よかった……
成績下がって
焦ってる
のが、
バレなくて……
なるほどね──、
村上君のこと
やけにかばうと
思ったら、
こーいうこと
だったのね──!!
はっはは
こ……
ここに長居は
無用だ……
早く何気なく
立ち去らねば……
じゃあ
ね……
あっ、
村上君!!

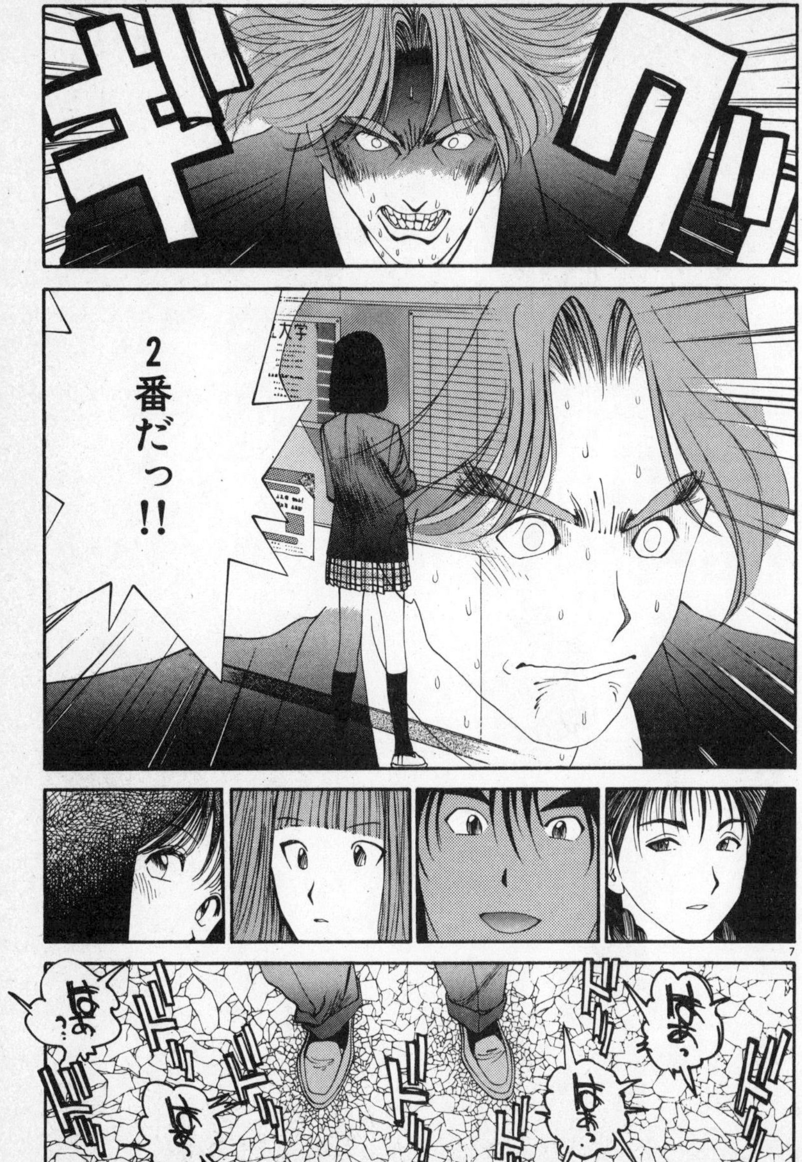
ギ!!
クッ
2番だっ!!
ドッ
はあっ
ドッ
はあっ
ドッ
ドッ
はあっ
ドッ
はあ…
ドッ

さ――すが、村上君!!
またしても、いい点――っ!!
えっ?
ああ……私も早く村上君みたいにいい点取りたいナ――!!
そ…そうか、遥ちゃん……別に2番も1番も遥ちゃんにとっては関係ないのか――っ!!
8
いいね――、遥――!頭のいい彼氏で……
うん、勉強教えてもらってるんだ――!!
ほっ
へ――、だから5番になったのか――っ!!
え――、5番――!?
うそうそ……
わぁ――っ、本当だっ!! ありがと、村上君っ!! 5番になったよ――!
はは……どうかしてたぜ…2番になったぐらいで、こんなに焦っちまって……

おっ!? やったぁ──っ、13番だぜ──っ!!
えっ!?
え──っ!?
うそ──!?
すっご──い、ほんとだぁ──っ!!
突然どーしちゃったの──!?
はっはっはっ…オレも、東大目指して勉強しとるんだわ──っ!!
前のテストが65番だったから、52人も抜かしちまったがや──っ!!
水野──、これからはオレが勉強教えたるわ──!!
な…なにィ──!? ちょっと成績が上がったぐらいで、うぬぼれるなよっ!!
5番のあたしが、なんで13番の朝倉君に勉強教えてもらうのよ?
そうそう！よく言った、遥ちゃん……
今の成績より先行き明るいほうに学ぶべきだがや……オレは急上昇、村上は急下降……
朝倉〜〜〜っ!!

そうね――！次のテストで52人抜かせば、マイナス39番……1番より上になっちゃうもんね――っ!!じゃ、朝倉先生に勉強教えてもらいましょうか？
どうぞどうぞ――！
では先生、質問……
律令制のもとでの郡司は政治的社会的にどのような存在であったでしょう？
ギョッ……
ま……質問は、さておき……
村上君にも勉強を教えてあげようかナ……
さては、先生……解けないのですね……
そんなことより今、指導が必要なのは、村上君だよ……
そうスか――？んじゃ、ビシッと指導してあげてください!!
うむ……
村上――っ、あんまり恋にかまけとると東大落ちてまうぞ――っ!!

恋にかまけてて、勉強が手につかないんじゃねえ——っ!!
朝倉っ…おめーが学祭にかこつけて遥ちゃんと仲良くしてっから、
気が気じゃなくて勉強が手につかないんだぁ——っ!!
気を鎮めようと思って遥ちゃんを肴《さかな》にオナニーしても、
朝倉!! てめーのことが気になってな——…最後、
フィニッシュのときに、てめーの黒い顔がちらついて
気分悪いんだ——っ!! ボケッ!!
「もしかして遥ちゃんとおめーが昔からつきあっててオレを利用しようとして
んじゃないか」とか、オレが心配するほど、仲良くするんじゃねェーっ!!
お前とオレとの差をつけるためにキスをする計画だってな——っ…

3時間以上かけて立案してな――っ…計画通りじゃないけど、
うまくキスできそうなチャンスがあったところに、
突然現われて邪魔するんじゃね――ぜっ!!
オレが安心して勉強できないのは、すべて……
お前のせいだ――っ!!
バカヤロ――ッ!!

そ……
そりゃあ……
キーン
コーン
カーン
コーン
悪かったな……
え？
何!?
ど、どうして
今、
頭で考えていたことが
わかったんだ？
か…
考えてた？
あなた、今
ず——っと
しゃべってたよ
……
な……
なんだっ
て——
!?
授業だ。
くるっ
すた
すた
すた
すた

14

15

別れよう……

え？

○第29回○
慚愧《ざんき》

はっ!

む…
村上君………
……
すた
すた
すた
うまいっ!! さすが……
村上君、演技力がアップしたよ! 冗談ってわからないもん……
ポン
すた
すた
すた
もう——っ… 冗談ってわかってるんだから——!
ねえねえ……
すた
すた
すた
すた
む—— らかみく——ん ……

足手纏《まと》いなんだ。

い……
一緒に東大行く約束は?
やっぱり教育大……行ったほうがいいよ……
水野さんは……
村上君……
2人で、東大行くって……

朝倉と行ったら?

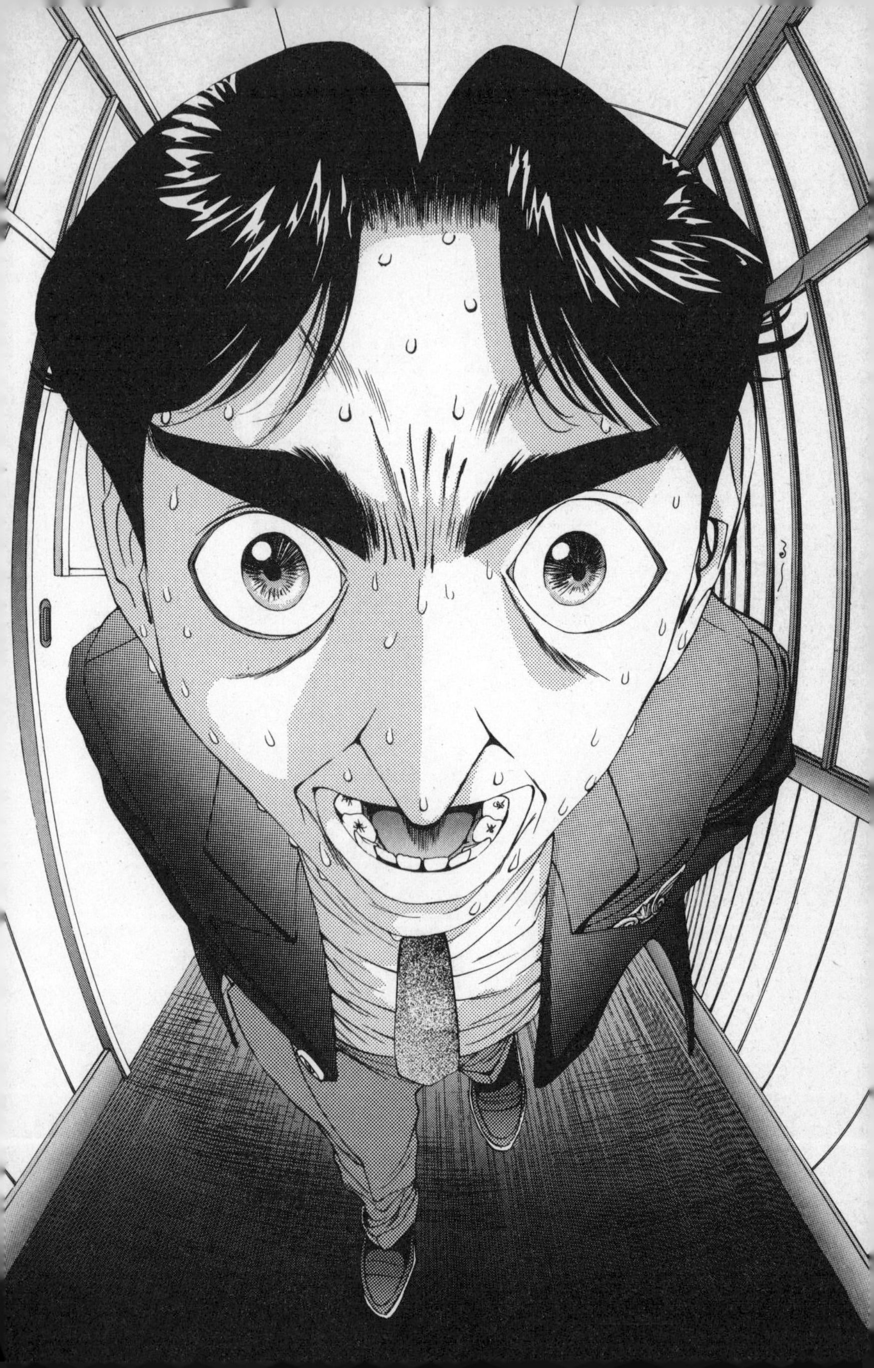

な……
な…なんだ?
なんだ……
なんだ──っ!?
ど……
どうして
なんだあ──っ!?
オレ~~~
っ……
遥ちゃんに……
とんでもないこと
言っちまった……
なんでだよ~~っ!?
このまま
歩き去ったら、
本当の別れが
来るというのに……
ど…どうして、
足は交互に
前に繰り出されつづけ、
踵《きびす》を返す気配さえ
ない……
9

村上くーーーん!!

遥ちゃん……
ど……
どうして、
キミは……
追って
こないん
だあ……
そりゃ、
そうだよな……
足手纏いだ、
なんて言われたら……
追ってこられないよな……
行き場の
なくなった、
遥ちゃんの心は……
何処《どこ》へ…？

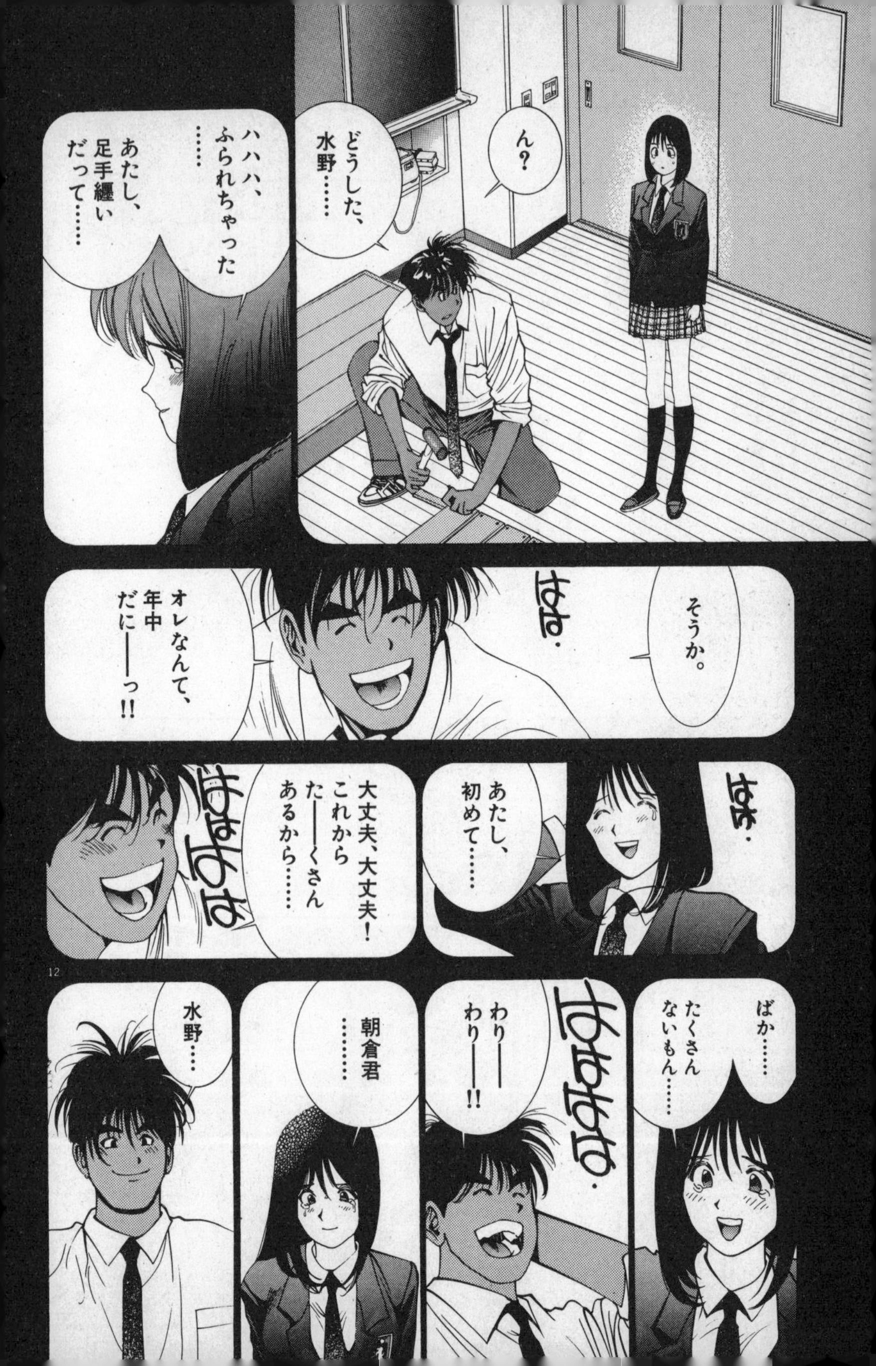
ん？
どうした、水野……
ハハハ、ふられちゃった……
あたし、足手纏いだって……
そうか。
はは・
オレなんて、年中だに——っ!!
はは・
あたし、初めて……
大丈夫、大丈夫！これからた——くさんあるから……
ははは
ばか……たくさんないもん……
はははは・
わり——わり——!!
朝倉君……
水野……

朝倉君……
もう何も言うな……
2人で、東大目指そうぜっ!!
うん!!

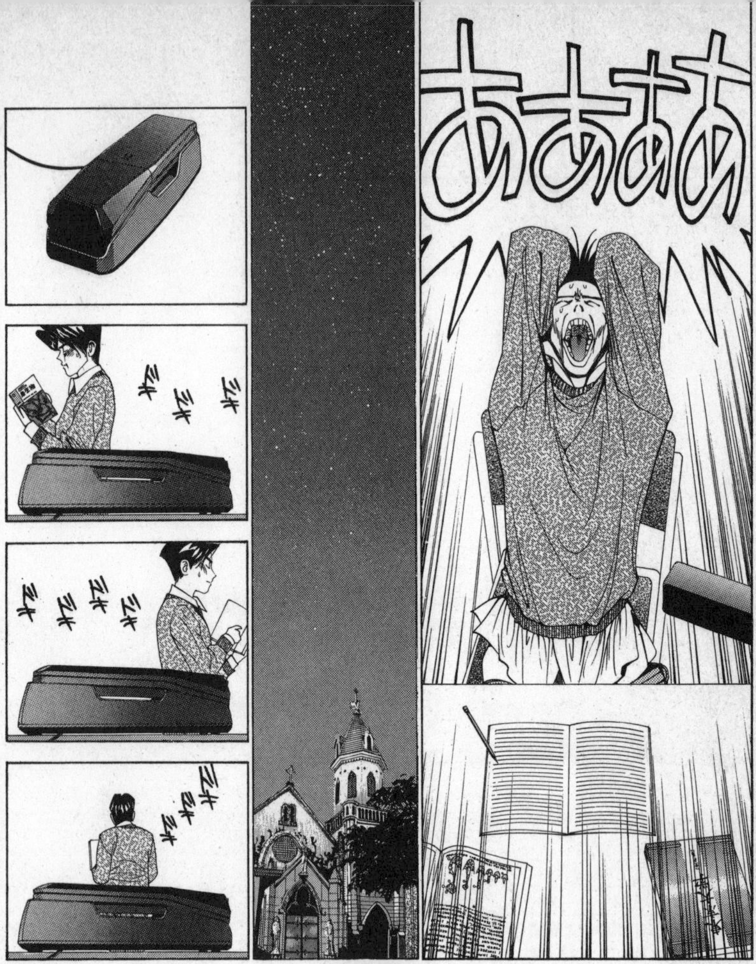
ああああ
ズキ
ズキ
ズキ
ズキ
ズキ
ズキ
ズキ
ズキ
ズキ

電話して……
なんて、
言えばいいんだ……
「あの言葉は、
冗談さっ…」
ズキ
ズキ
だめだ!
ズキ
素直に謝るか……
ごめん、遥ちゃん……
オレが間違って
いたよ……
どうかしてたんだ……
(3時間)

だめだっ、電話できないっ!!
ああ――、遥ちゃん……キミから電話してきてくれよォォ――――っ!!
RRRRR
もしもし……
…………
もしもし……!!
ちっ!! 悪戯《いたずら》電話かぁ――っ……
メラメラ

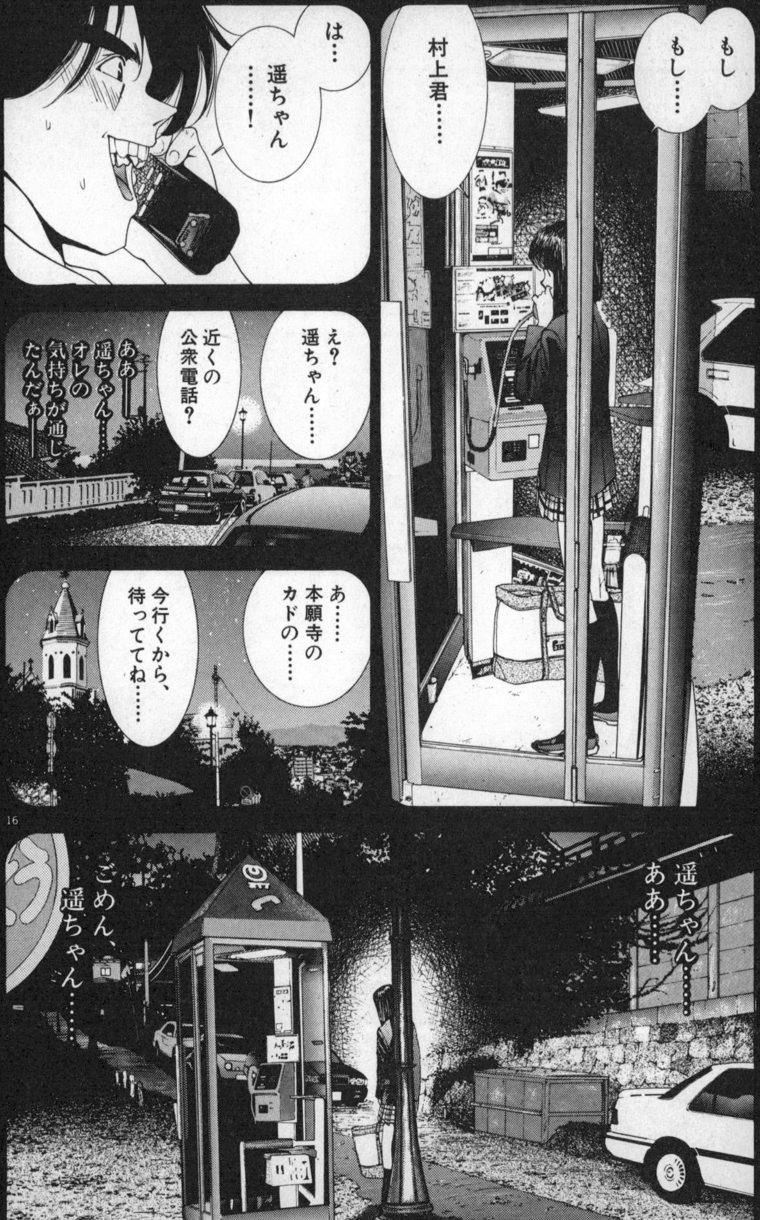

もしもし……
村上君……
は…遥ちゃん……！
え？遥ちゃん……
近くの公衆電話？
ああ――遥ちゃん……オレの気持ちが通じたんだぁ――
あ……本願寺のカドの……
今行くから、待っててね……
遥ちゃん……ああ……
ごめん、遥ちゃん……

はあっ
はあっ
はあっ
遥ちゃん……
はあっ
はあっ
はあっ
はあっ
はあっ
愛してる……
……

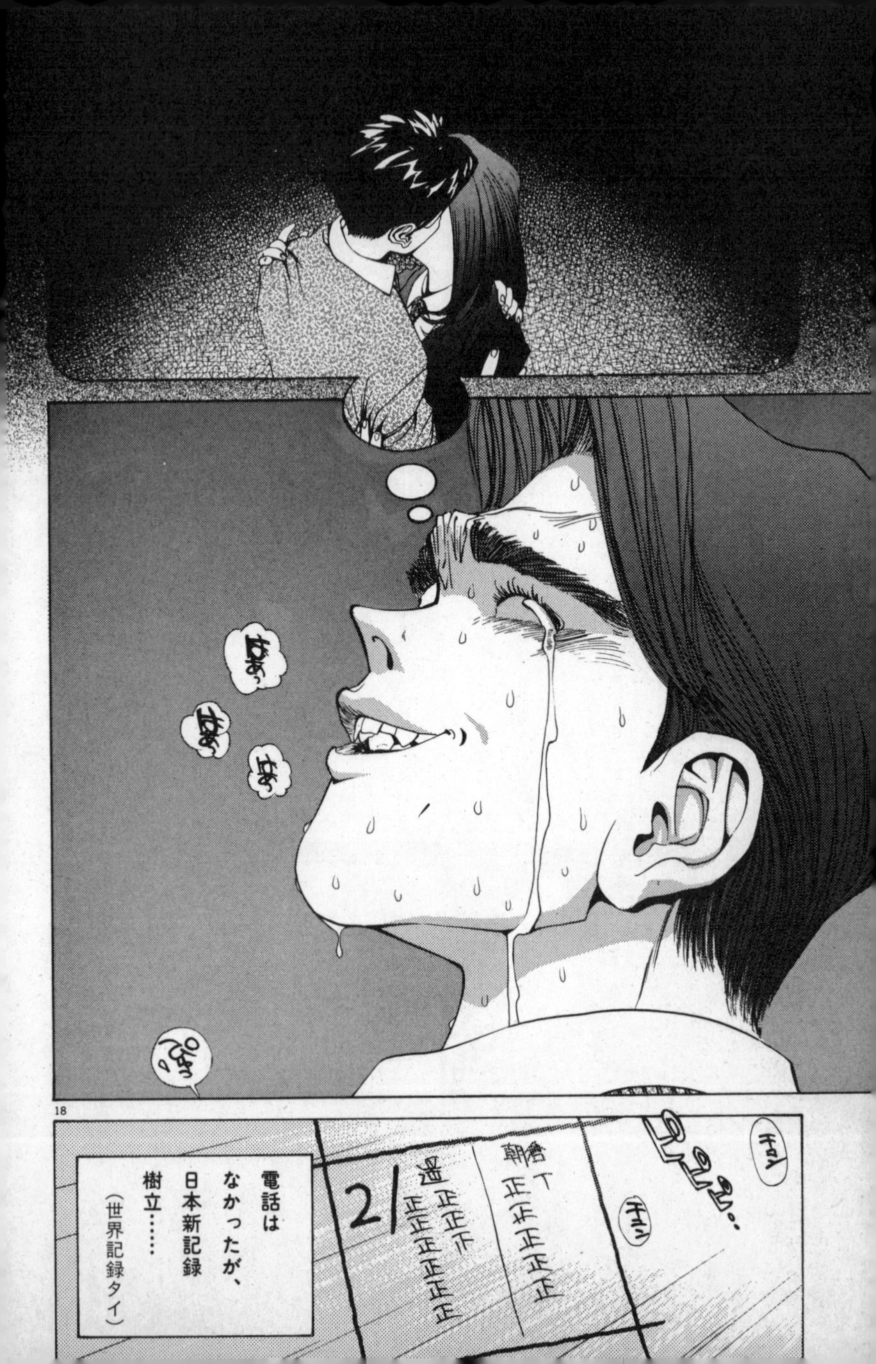
はぁっ
はぁっ
はぁ
ぴくっ
チュン
チュン
朝倉 T 正正正正正
遥 正正正下
2/
電話はなかったが、日本新記録樹立……
（世界記録タイ）

●第30回●
平行線

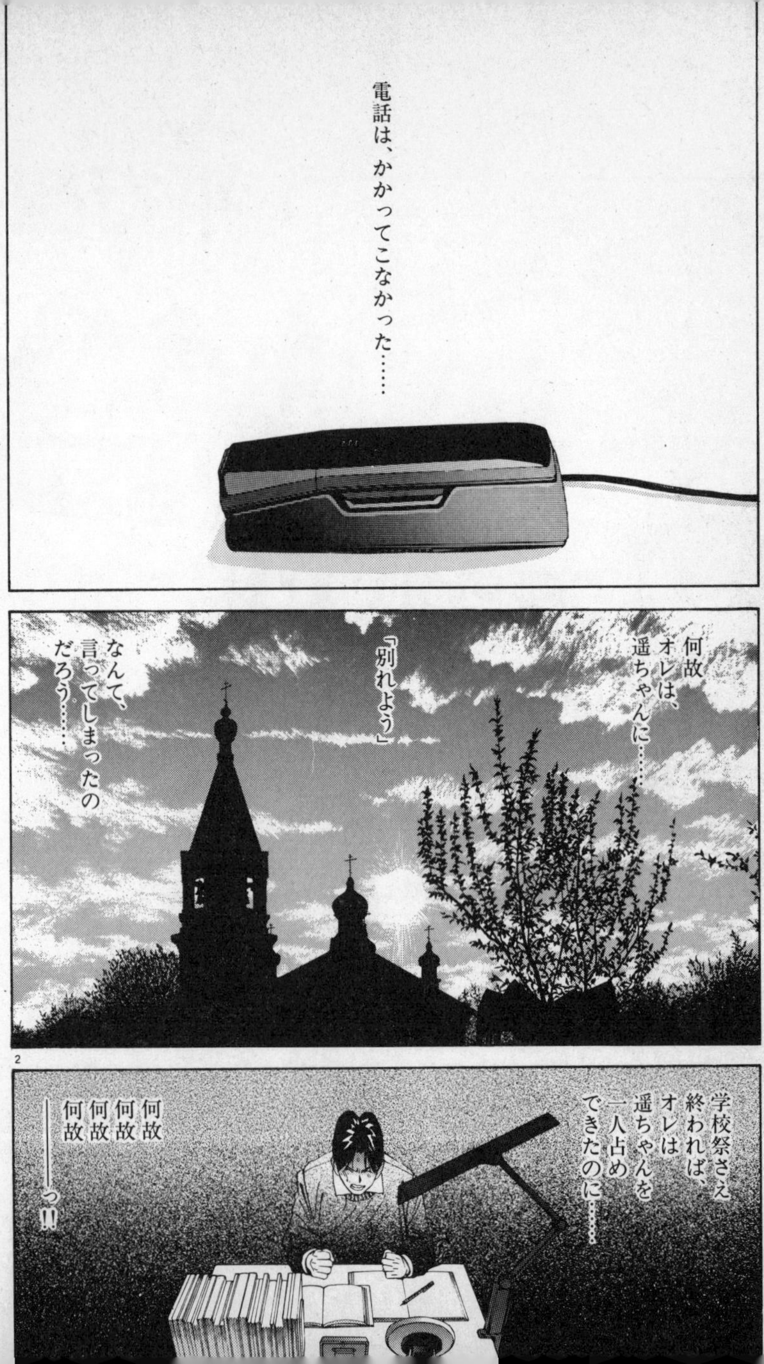
電話は、かかってこなかった……
何故オレは、遥ちゃんに……
「別れよう」
なんて、言ってしまったのだろう……
学校祭さえ終われば、オレは遥ちゃんを一人占めできたのに……
何故何故何故
——っ!!

2

遥ちゃ――ん、電話をしてきてくれ……
電話をして……オレに……
好き…なの……
って、言ってくれよ――っ!!
村上君と別れたくないの……
村上君がいなきゃ、いやだよォ〜〜〜!!
朝倉君なんか男だと思ってないのよ、あたし村上君、一筋なのっ!!
ごめんね、村上君……村上君の気持ちわからなくて……
どんどんあたしで、オナニーしてっ♡
村上君、じゅ…て――む……
と、言ってくれ――っ!!
言ってくれないと、オレはどうにかなってしまう……

※「ブラフ」(bluff)〃はったり〃の意。元来、ポーカーなどのトランプゲームの言葉。

キミの……
キミの……
本当の……
愛を確かめたかったんだよォ————っ!!
ズキ
ズキ
ズキ
ズキ
ズキ
ズキ
ズキ
ああ——っ!!

……それが
8時25分……
……それが
ドキーーー!!
ドキドキドキドキドキドキ
はっ
はっ
はっ
ズキズキズキズキ
ズキズキズキズキ
ズキズキズキズキ

6

こんなことに
なっちまう
なんてぇエ――!!
はぁ
はぁ
ズキン
ズキン
はぁ
はぁ
はぁ
はぁ
ズキン
はぁ
ズキン
ズキン

はぁっ
はぁっ
はぁっ
はぁっ
はぁっ
はぁっ
はっ!!
2人の場所……
きっと遥ちゃんは、2人の場所に来る……
遥「あれー、村上君」
村上「ふふっ」
遥「あたし達、別れたんじゃないのかナー──」
村上「ごめんね、遥ちゃん」
1時間目の休み時間
遥「本当に、びっくりしたんだから」
村上「ごめんごめん」
2時間目の休み時間
遥「村上君がいないと、だめ」
村上「そんなことないだろ」
3時間目の休み時間
遥「愛してるんだから」
村上「僕だって……」

ヒュゥゥゥゥゥゥゥゥゥゥゥ
え──、明日から学校祭ですが……
皆さんは、一応受験生であるという自覚をもって……
勇気を出して、遥ちゃんに言おう……
話があるんだ……
ボリ
ボリ
いつものところへ来てくれ……
来てくれたら、素直に謝ろう……
ごめん、遥ちゃん……
す…
す…
すべてオレが悪かったんだ……
も……
もう一度オレとつきあってください……

もちろん!!
3-C
いつものところへ
来てくれ……
いつものところへ
来てくれ……
いつものところへ
来てくれ……
いつものところへ
来てくれ……
いつものところへ
来てくれ……
いつものところへ
来てくれ……
いつものところへ
来てくれ……
いつものところへ
来てくれ……
いつものところへ
来てくれ……
いつものところへ
来てくれ……
いつものところへ
来てくれ……
いつものところへ
来てくれ……

だめだ……
げっ……

数学
数学
$x^n+y^n=z^n$ $(n\geqq 3)$をみたす整数が存在すると仮定すると……
ムニャムニャ…
ブツッ
ブツッ
ブツッ
現実逃避——っ!!
このままじゃだめだ……
現実から逃げちゃ、だめだ……
遙ちゃんと向き合うんだ……

ここで待とう……
遥ちゃんが来るまで……
遥ちゃんは、ここを通って家に帰る……
Kentucky Fried Chicken
40
ああ——っ、来たら……なんて言おう……
学校祭の準備で遅くなってるのか……
彼女が友達と一緒でも、はっきり言うぞ……「ごめん……」そして「もう一度……つきあってくれ」と!!
8時過ぎたぞ……
他の道で、帰ってしまったのか?
もう10時近いぜ……
遥ちゃん……

遥ちゃん……
朝倉と一緒に……
逃げちゃだめだ、逃げちゃ……
朝倉と遥ちゃんがつきあい始めてたとしても、オレは言うだけ言おうっ!!
ドキ ドキ ドキ ドキ

………
…は……

18

●第31回●
祭日

オレの初恋は、
終わった……

今、
オレが
すべきことは……

ただ……

東大を目指して
1人
孤独を愛し、
一心不乱に
勉強に
没頭すること
だ……

2

第　1　問　　直線 l 上に10メートル離れた2定点A，Bがあり，l に平行な直線 m 上を点Pが秒速1メートルで一定の向きに動いている。A，P間の距離とB，P間の距離の和は，ある時刻に測ったとき15メートル，その5秒後に測ったときも15メートルであった。2直線 l，m のあいだの距離は

昭和63年度・東京大学入試問題より

問　直線
に平行な
動いてい

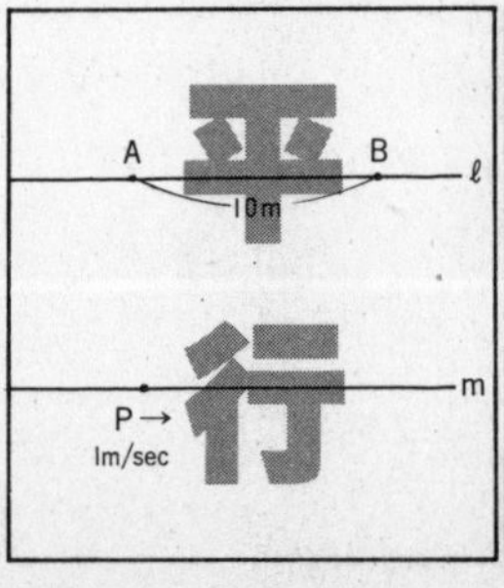

「平行……どこまで行っても
決して永遠に交わらない……
2直線」

決して
交わらない……

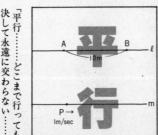

遥ちゃん……
もう
オレとキミの
人生は……
交わらないのか？
交わり
たい……
交わり……
交わり
……
ぴゅっ
うあっ……
そういうスケベなことを考えて
オナニーをしていたから、
思わず……
オレは、
遥ちゃんを肴《さかな》に
オナニーしてるのだ!!
……なんて
言っちまったんだ——!!
ああ——っ、
そのあとに続けた言葉……
「朝倉!!
てめーのことが
気になってな、最後
フィニッシュのときに
てめーの黒い顔が
ちらついて
気色悪いんだ、ボケッ!!
『もしかして、
遥ちゃんとおめーが
昔からつきあってて
オレを利用しようと
してんじゃないか』とか
オレが心配するほど、
仲良くすんじゃね——っ!!
うまくキスできそうな
チャンスがあった
ところに、突然現われて
邪魔するんじゃ
ね——ぜっ!!」
ああ——っ、
思い出すたびに
恥ずかしくて、
顔が火を
吹く……!!

その言葉を聞いた遥ちゃんは……
何を思っただろう……？
村上君……あたしを肴《さかな》にオナニーしてた……？
と……とんでもないわっ!!
不潔よっ、うわっ、ぞぞ――っとしてきた……
き……気持ち悪いわ……
それだけじゃなく、朝倉君のことを考えて……
オナニーを……？
ホモだったのね、村上君!!
あたしと朝倉君が大学入るために村上君を利用ですって？
そんな卑怯な人間だと、私のこと思っていたの？
ひどい…ひど過ぎる……
あたしのこと信じてないってことが、よくわかったわ……
うまくキスできそう？
村上君て、キスしたくてうずうずしていたんだ――っ!!
まるで動物みたい……
性欲の塊だわ……
あたしの体目当てでつきあってたから、心が小さいくせに一生懸命優しいフリをしてたんだ……
き……気持ち悪いわ……
あ――、やだやだやだよ――!!
ああ――っ!!
だめだ――、数学はぁ――っ!!
辛いことを連想させる言葉が、多過ぎるっ!!
数学のバカっ

第4問

明治維新を通じて権力を掌握した藩閥政府は，欧米諸国を範とする近代国家の
その一つの到達点が1889（明治22）年に制定された大日本帝国憲法であり，翌年
もとづき帝国議会が開設された。衆議院では民党が多数を占め、政府と激しく対
での争点の最大のものは地租問題であったが，条約改正もまた大きな問題であっ
前後から初期議会期を通じて、条約改正をめぐる議論が展開された。その際，政
間に，改正の内容や方法について，どのような論点をめぐる対立が生じたのかに
(150字）以内で説明せよ。解答は解答用紙(ニ)の欄（省略）に記入せよ。

平成３年度前期・東京大学入試問題より

for his words, 'Go we
A) 空所(A)に補うのにもっとも適
ア) clever
イ) delic
昭和63年度・東京大学入試問題より
補《おぎな》うのにもっとも適当な語句……
補う……
補う言葉……
オレにも……そう…補う言葉があったら……
また昔の2人に、戻れたかもしれない……
補う言葉……
オレは、キミの前で全てをさらけ出した……
もう何も飾らないオレだ……
飾らないで言う……
遥……
愛してる……
村上君……
遥……
村上君……

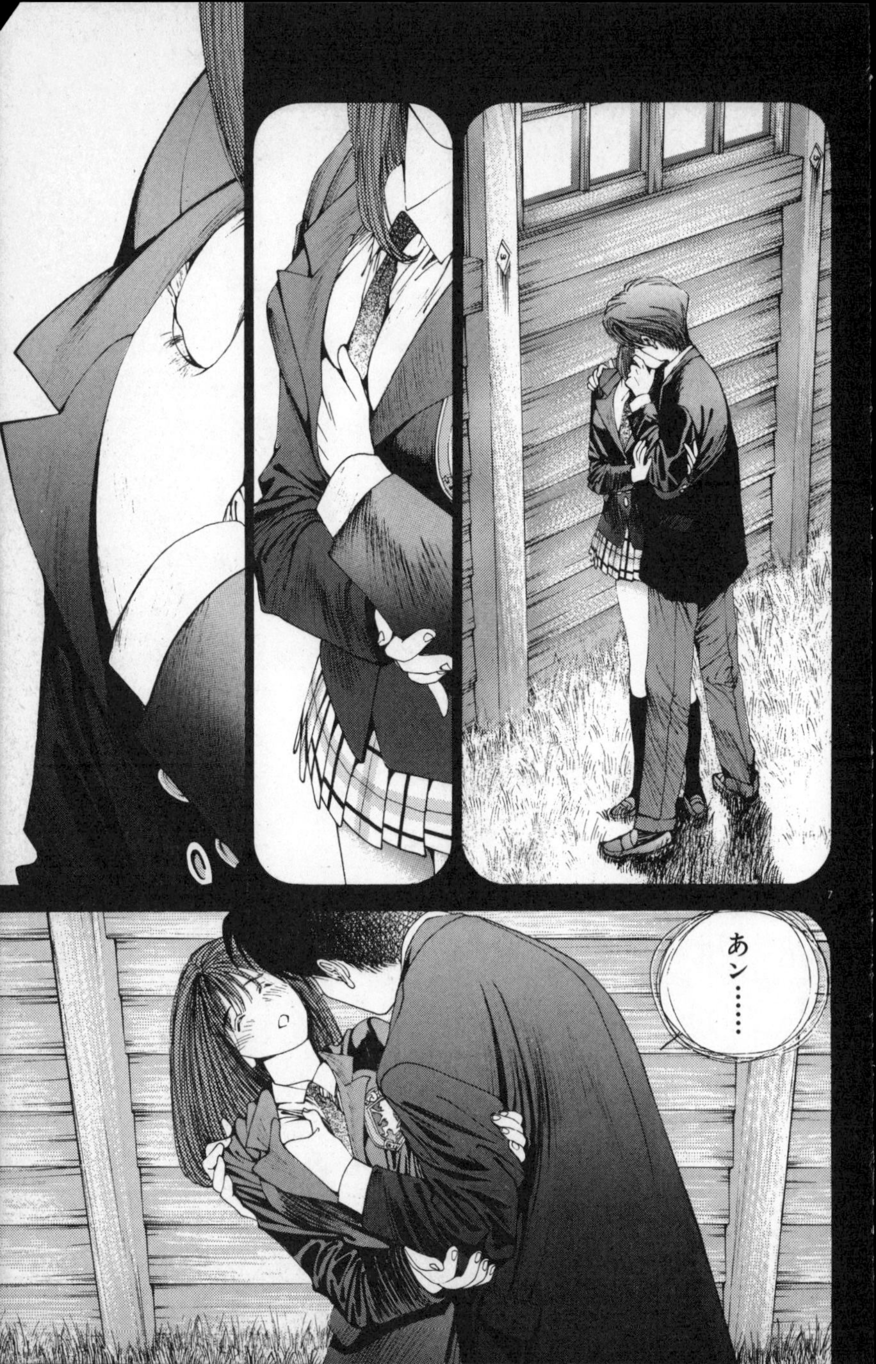
あン……

学校祭へ行こう……
行って、もう一度……
愛していると言おう……
本来祭りは、人の心を高揚させる……
小さな過ちも祭りのノリでふっ飛ぶかもしれん……
だめでもともと……
上手くいったら、大儲け……
しゃか
しゃか
しゃか
しゃか
しゃか
しゃか
しゃか
ああ——っ!!
早く……
早く……
遥ちゃんに逢いたい……
遥ちゃん……
遥ちゃん……
遥ちゃん……
遥ちゃん……
遥ちゃん……
遥ちゃん……

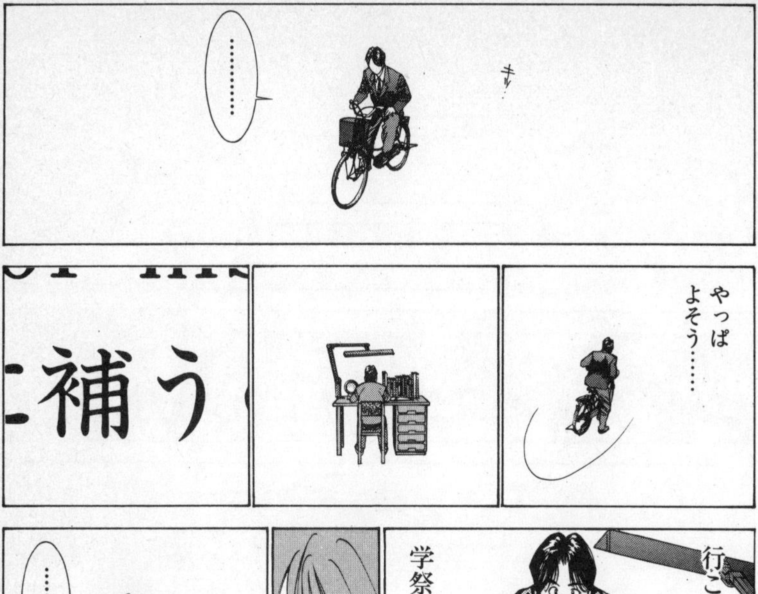
…………
キッ
やっぱよそう……
補う
行こう!!
学祭っ……
…………

r h
補う
………
今日は……
学祭に行けず……
一日が……
はっ!

今日、
3回学祭に行こうとした
わけだが……
徐々に距離が伸びている……
学校
家
1日目 朝
昼
夕
2日目 朝
昼
夕
3日目 朝
昼
学祭は3日あるから……
1日ずつ距離を伸ばして
いけば……
最終日の昼には、
学校へ辿《たど》り着けるぞ……
たこやき
たこや
そば・うどん
ガヤ
ガヤ
はっはっは——っ、
来た来た——っ!!
最終日——っ!!
計画通りだぜ——、
やった——っ!!
第103回
向陽祭
ビデオ
写真部
きそば
第103回 向陽
主な催しもの
三月うさぎ亭
美術部
展覧会
ガヤ
ガヤ
辿り着いたは
いいけど……
あ……
足がすくんで……
学校の中へ
入れない!!
もう
1時間も、
ここに
こうして
いると
いうのに……

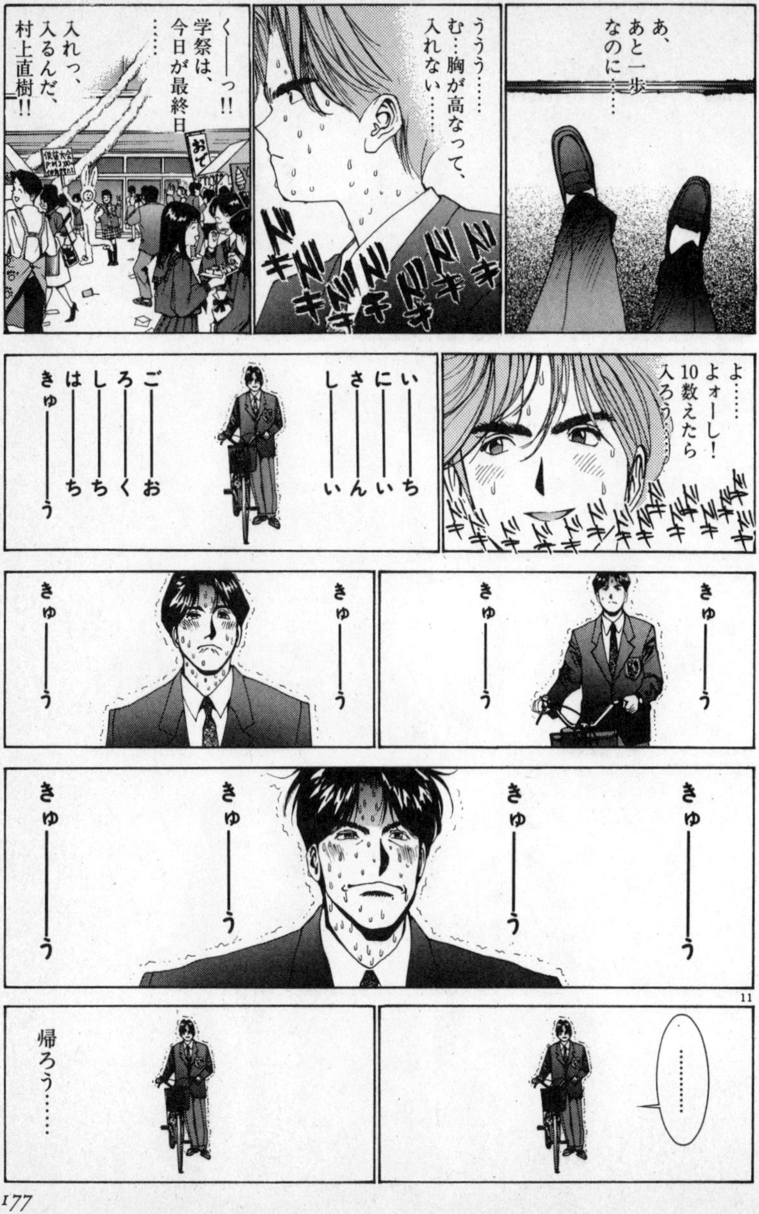
あ、あと一歩なのに……
ううう……む…胸が高なって、入れない……
くーーっ!!学祭は、今日が最終日……
入れっ、入るんだ、村上直樹!!
よ……よォーし！10数えたら入ろう
いーーち
にーーい
さーーん
しーーい
ごーーお
ろーーく
しーーち
はーーち
きゅーーう
きゅーーう
きゅーーう
きゅーーう
きゅーーう
きゅーーう
きゅーーう
きゅーーう
きゅーーう
11
…………
帰ろう……

あっ!!
おおーーっ!!
入ったあーーっ!!
!!
何やってんだ……
え?

村上……

佐野ーーっ!!
なんか、お前ちょっと見ないうちに、雰囲気が変わったなーーっ!!
お前こそ、学校ずーっと休んでていいのかーー?
大丈夫！出席日数は、ちゃんと計画しているからな……
お！そうだ!!
紹介するよ、こいつ聖函館女学院2年の杉本美穂《すぎもとみほ》ちゃん！
どーも…
こっちは、オレの親友の村上直樹、東大目指してる秀才だ……
よろしく……
ぐあー、佐野めーーっ!!
この前は、ムチムチイケイケのボディコン姐ちゃん連れてホテル行ってたかと思えば、
今度はお嬢さま高校の女子高生を連れて……
オレが遥ちゃん1人で行ったり来たりしてる間にも、佐野は2人以上の女の子をーーっ!!
うーーっ!! くそ〜〜っ!! 許せんーーっ!!

おう……村上……遥ちゃんと上手くやってるか？もうBぐらいまでいったか――っ!?
ふ……ふっ……
さ……佐野なんかに、オレと遥ちゃんが別れたなんて言ったら、佐野はこの隣にいる女の子とつきあっていてもすぐさま遥ちゃんにアタックしちまう！朝倉1人でさえ強敵なのに、ここに佐野まで加わったらとんでもないぜ――っ……!!
げっ、もしかして最後まで……
ふふっ……想像に任せるよ……
待てよ!!オレと遥ちゃんが、もう何をやっても終わりなら、いっそのこと佐野に遥ちゃんを獲らせたほうがいいかもしれん……朝倉なんかより、佐野と遥ちゃんがつきあったほうがいいぞ！佐野とオレは親友だ……
うあ――、いいな――！遥ちゃんの胸、でかいくせにハリがあるだろ……乳首は何色だった？
ひ……秘密……
だめだっ、こんな奴に遥ちゃんは渡せん……オ……オレが愛の力で取り戻してみせるっ!!
な――、村上……遥ちゃんは一緒じゃないのか？学祭なのによ――！
はは……クラスの出し物のお化け屋敷とかで忙しいんだってさ……
ああっ…お化け屋敷で、朝倉と遥ちゃんがくっついて……
おっ、そーか！遥ちゃん、お化けやってんのか――っ!?面白そーだな!!
……
ああ――っ!!やっぱり、いっそのこと佐野――…お前が、遥ちゃんをものにしてくれ！それで飽きたら、オレに……ううっ…情けない……
よし！D組のお化け屋敷に直行だ――っ!!

14

オ……オレは、ちょっと行くとこあるから!
そーか、じゃあオレ達だけで行くわ……
佐野は、きっと遥ちゃんに逢ってオレと遥ちゃんとが別れたことを知るだろう……そ…そんな現場に、オ…オレはどんな顔をして立っていられるというのだ!? 佐野、あとは任せた……オレは家へ帰って勉強する……
お化け屋敷かーっ…怖かったら、抱きついてくれ――!
怖かったら抱きついていいよ。
佐野と遥ちゃん……
佐野と遥ちゃん……
佐野と……
遥ちゃん……
ま…待て――!!
佐野ーっ!!
オ…オレも行くーっ!!
だ…だ……だめだ!! だめだ――!! 朝倉も佐野も、だめだぁ――っ!! 遥ちゃんとつきあうのは、オレだあ――っ!!
UFO
HAKODATE KOYOUKO GAKUENSAI
甘味処
ビデオ上映会
化学部

ガヤ
ガヤ
入口
恐怖の館
出口
ああーっ……遥ちゃんと逢ったらどうしよう……佐野は、オレと遥ちゃんとがつきあってて最後までいったと思ってるし……(6分)
かわいい彼女だね……
おっ、ほめてくれる？じゃ、交換しようかーーーっ!!
遥ちゃんはきっとすごく怒ってて、オレのこと嫌悪で一杯になってるだろうし……(8分)
いや、それはまずいだろう…!
そんなことないよ…この女もなかなか○△□だったが、今じゃ……
そうだっ!!「補う言葉」だ……補う言葉……補う言葉……補う言葉さえ思いつけば、きっとなんとかなる…あー…(14分)
い…いいのかー!? そんなこと言っちゃって……
いいよな――!?
いい!!
次の方ーーっ!! 2人ペアか、またはお1人ずつでお願いしまーす!!
村上……オレ達は2人で入るから、お前は1人で入れ……

16

ああ――、
よかった――っ!!
佐野の前で、
遥ちゃんに
逢わずに
すむかも
しれない……
よ…よし
早くここを
出て……
佐野が出てくる前に
遥ちゃんを呼び出して
もらって……
ごゆっくり
どーぞ……
そ……
そこで
補う言葉を……
よしっ!!
早く
出よう……
どうせ
高校生が1、2週間で
作ったお化け屋敷……
怖くもなんともない……
し…
しかし、
ま……
まっ暗だぜ……
目がまだ
馴れてないせいか……
こっちは、
急いでるっ
てーのに――……
こんなまっ暗じゃ、
どこを
どう行ったら
いいか
わからないよ――っ!!
たく素人の作るものは
むちゃくちゃだぜ……
なんだか、いやーな臭いも
するし……
ん?
青い光が
ついた……
おお、こりゃ
ブラックライト
だね……
何か
起こるのか?
ドキ
ドキ
ドキ
さっさと
してくれよ
――!!
こっちは、
急いでるん
だから……
!!

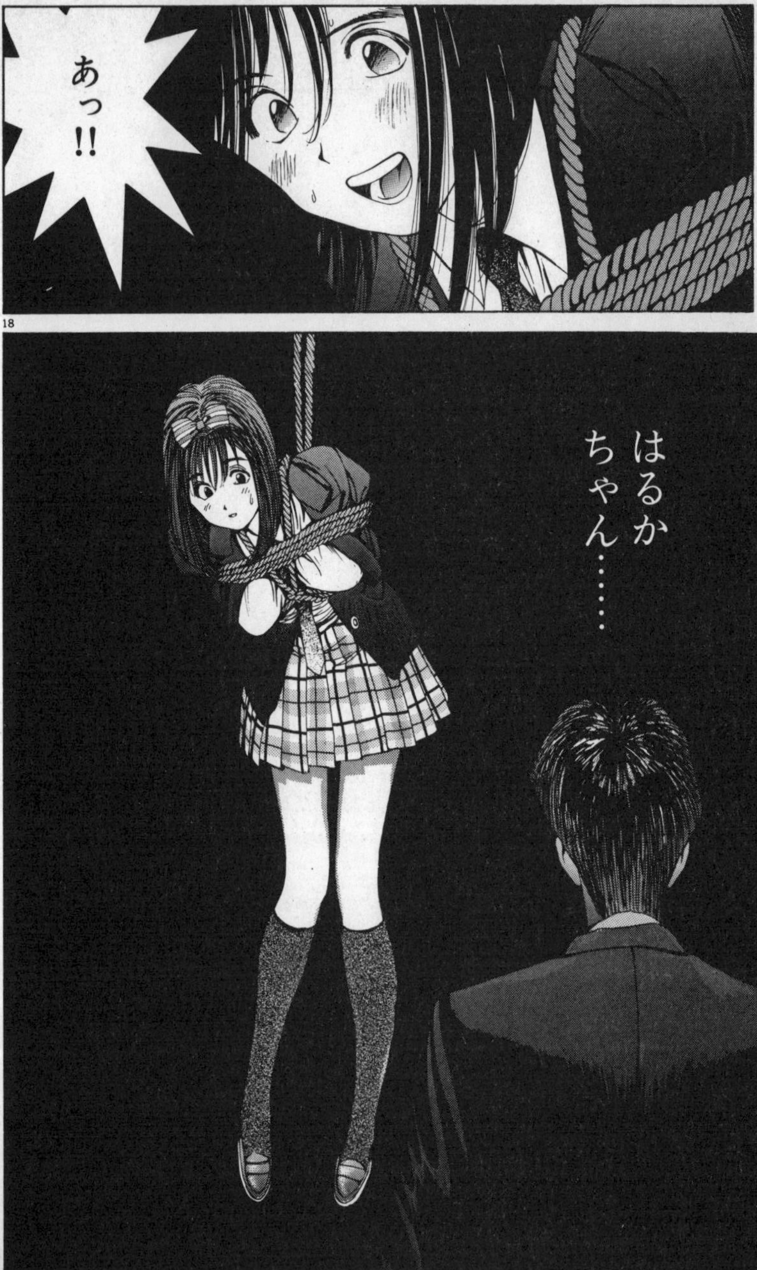
あっ!!
はるかちゃん……

●第32回●
闇

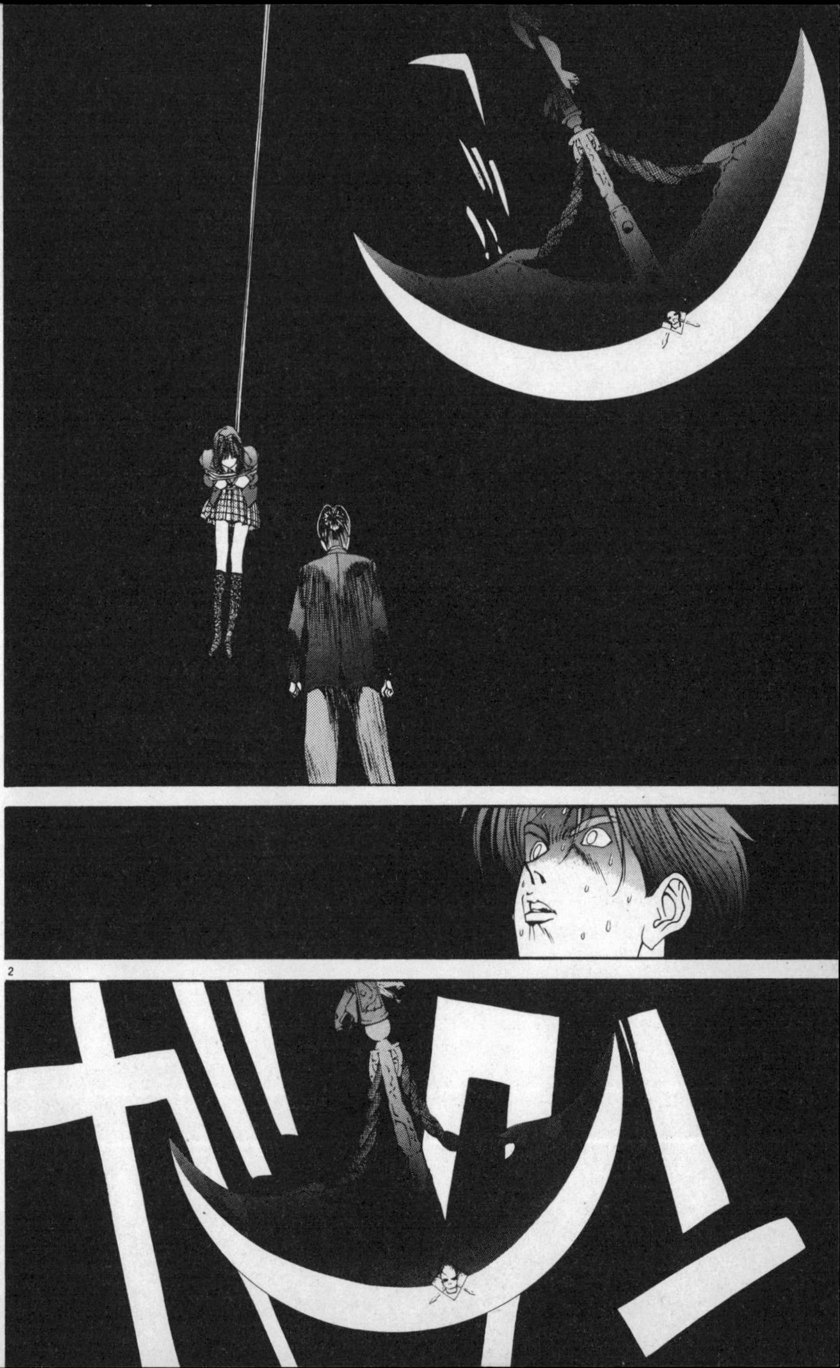

2

4

ひイイイイイイイイ
ボテッ
ボテッ
コロ.

お…お……
落ちつけ……
こ…これは、
学校さ…さ…菜…祭の
お…お……
お化け屋敷の
出…だ…出し物だ……
こ…こんなものに、
お…驚いてないで……
は…速…早く……
オ…オレの
気も…餅…もちを、
遥ちゃんに……
は…放…話さなきゃ
……
あ……
あ…アイアイ……
愛してるてる……
は…遥ちゃん……
ア…ア……
愛してる……
はるかちゃあん……
愛してる……
遥ちゃん……
よし……
口に出すぞ……

6

あ!
は……遥ちゃんが、こっちを見てる……
………
あ…あ…嫌がって……
オ…オレのこと嫌ってる……

8

まっ、待ってくれ!!
オ…オレは……
オレは……
オレは……
オレは……

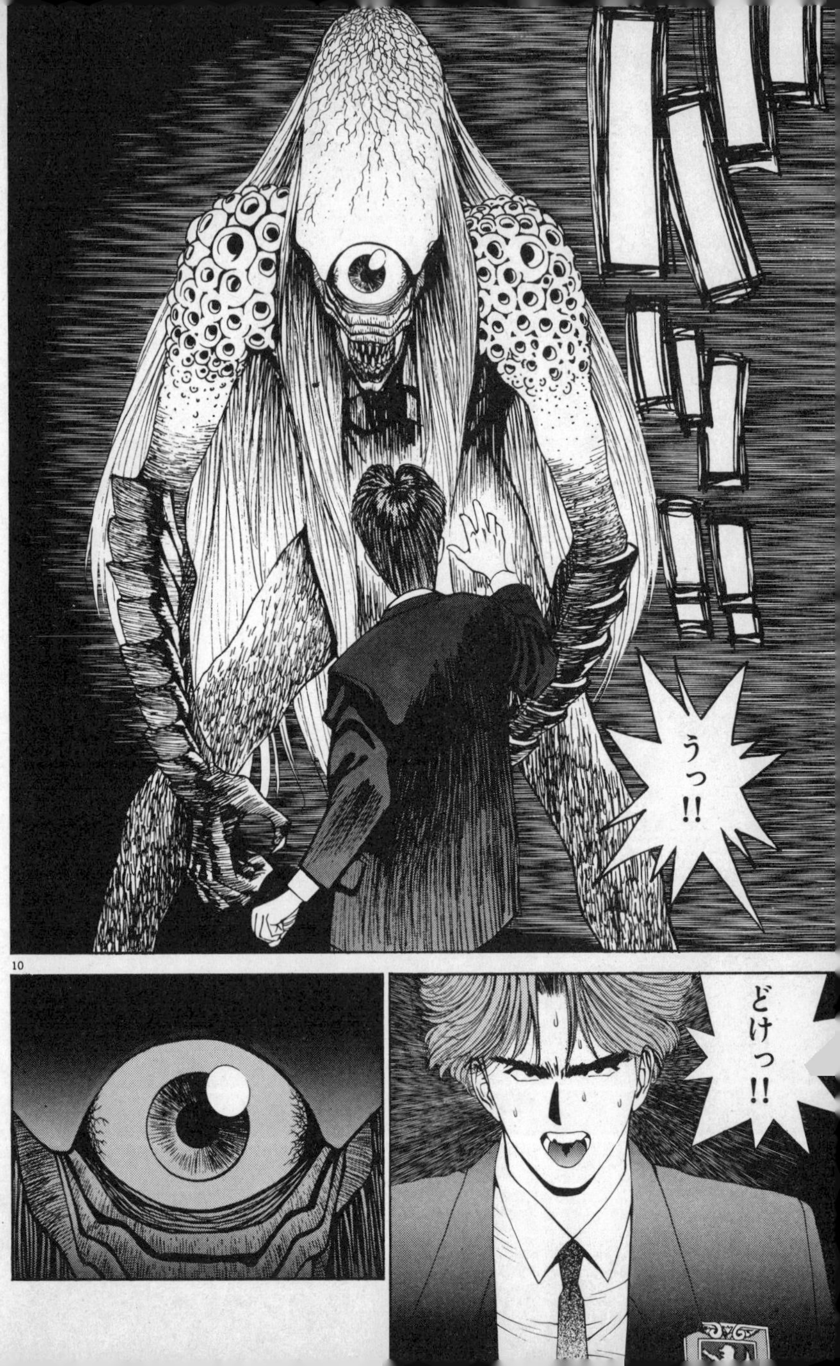
うっ!!
どけっ!!

お前は、自分のことしか考えていない!!
な……
なんだと……!?
お前は、水野 遥の気持ちを考えたことがあるのか?
ふっ、遥ちゃんの気持ち……
ひくっ
ひくっ
いつも考えてるぜ、脳がすり切れるぐらいにな……
そう……考えてるよな、水野 遥の気持ち……
自分のことを、どう思っているかということばかり……
11
そ…それの…
どこが悪い!?
村上は、いつも思い悩む……「自分《オレ》は、遥ちゃんの目にどう映っているのだろう?」
「悪く映っていたら、嫌だな」「よく映っていてほしいよな」「かっこよく映っていたら、いいな」
はっ!!
水野は渡せん!!

自分が
他人《ヒト》の目に
どう映るか
だけを、
人生の目標に
している男には
………

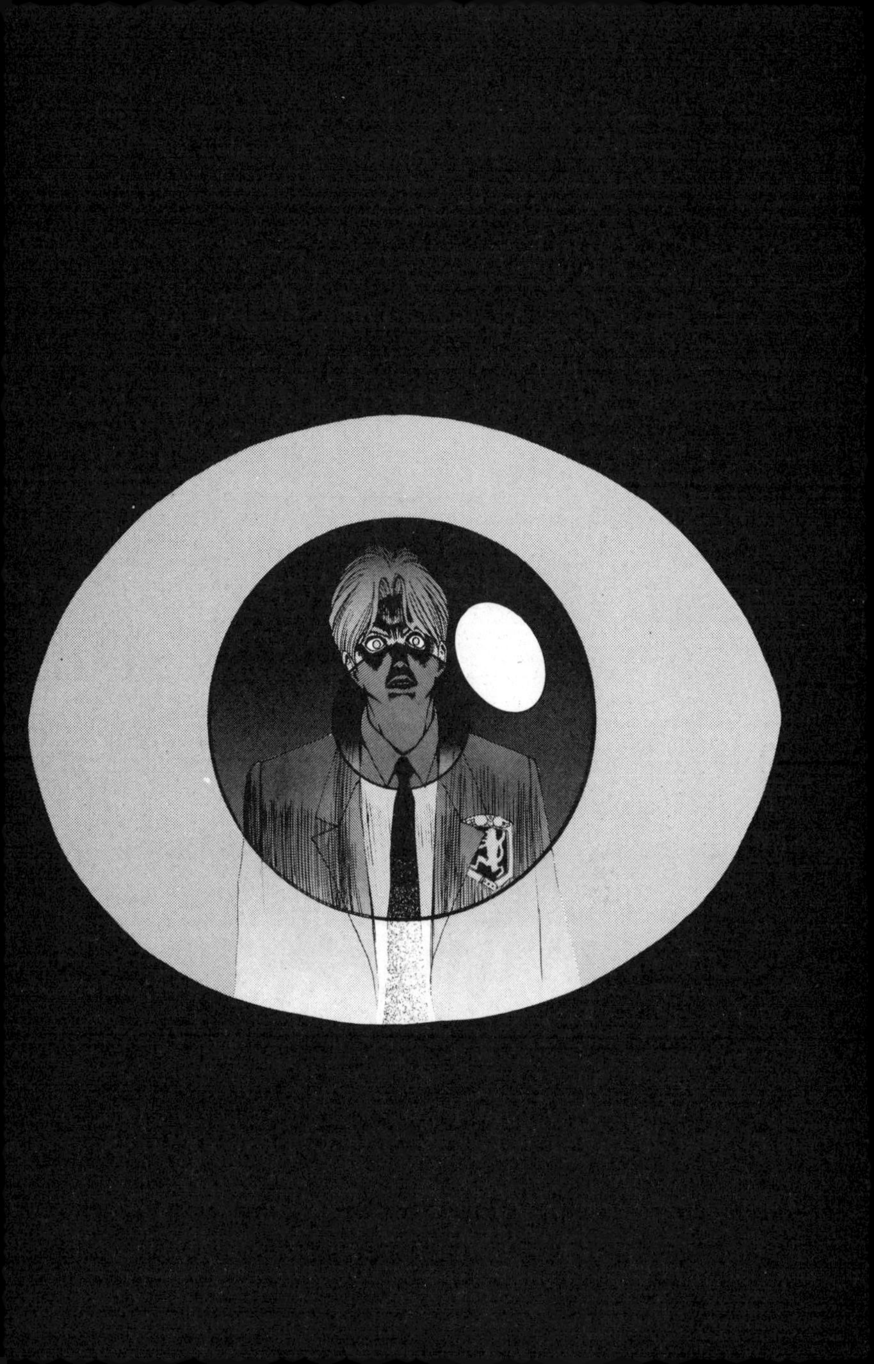

オレは、
3年A組
学年1番、
村上直樹……
志望校
東大文I……
2年の夏まで、
サッカー部
フォワードで
活躍……頭脳優秀、
運動神経抜群……
クールで
シニカル……
それが
オレなんだ——っ!!
あ……あの人よ、村上君よ!
きゃっ♡
あ……あのサッカー部の秀才!
村上、女の子が噂してるぜ!
ふっ……
くだらない。
キミは、昔から僕のことが好きだったんだ……遠くから僕をながめ、告白できず……そっと想っていてくれたんだ……
の生徒は学年1番、その優秀さに先生からの信頼の厚い、その行とは程遠い筈の生徒だ。考えてみると彼は女子生徒が体育の着替えをしている間もそこに忍んでいたのだ。わかったぞ、奴は優等生の仮面をつけた、したたかな変質者であると……
これじゃ、まるで女子の着替えをのぞきに来た男じゃないか——っ!!
ち……違うんだ! オ……オレは……
く……靴ひもを直してて……ふと振り向いただけで……
靴ひもを直すフリをしなくても……
もはやこのレッテルは焼き付いて一生離れないものとなり、その風評は……
そんな人間になるくらいなら、彼の言動や思考はつかみどころのない謎の人として、永遠に凡人には理解されない孤高の奇人として、人々の記憶に残るほうがマシだ……
訳のわからない人のフリも……
あたふた
このニヤケた顔を、もとに戻さねば——っ!!
オレは受験生だ。お前みたいに、女の尻を追っかけてる暇はないから……
別に気のない素振りも……

ここで切ったら、単なる変態イタズラ少年だ——っ!!
ここは他人になりすまして、切り抜けよう……!!
にゅみっ
私、小林と申しますが、
他人のフリも、全てしなくていいんだ——っ!!
トイレでゆっくりしたいぞ、オレは!
でもでも、それは秀才・スポーツマンのオレ、村上直樹のやることじゃない……
オレは、スケベなんかじゃないっ!!
ふっ……
おふくろの奴、弟の弁当と間違えたか……
ははは…村上らしくね——!
プライバシーはあったほうがいい……
でも、大声でみんなに自慢したい気もなくはない……
や…やべ——っ!
オレ、怖い顔してたか?
やばいっ!!
オレのこと、またのぞきをしている変態だと見たぞ——っ!!
教室の前の入口ごとに止まったり走ったりしてる奴ということで……
認識される。
包茎……
村上《むらかみ》の全《すべ》てが嫌《いや》だ…
嫌《いや》な村上《むらかみ》の全《すべ》て…
全《すべ》ての村上《むらかみ》は嫌《いや》だ…
ああ——っ、オレがすごく昨日のことを気にしていることが、丸わかりだぞ——っ!!
いったいこの娘は、オレをどう見てるのだろう
謎だ……
そ…
そうだね……
心配だ……確認しなくちゃ…
って
理解あるところを、見せなきゃ……
"村上君、思ったより冷たい人だわ" なんて思ったぞ!!
オレは、そんなに冷たい人間じゃないよ、遥ちゃん……うう……
心の小さい男だと思ったに違いない!
ああ、村上君てつまらない人間と思われてしまう……
オレは、ず——っと学年1番だから……!!
よ…よかった……成績下がって焦ってるのが、バレなくて……
オレは受験勉強したくて、サッカーやめたんだ!!
2番だっ!!
え?
違うの?
あいつさ……受験失敗しちゃってさ…
何回も東大受けたんだけど……
結局失敗……
もう心身共にボロ雑巾状態で三流大学入って、
今じゃぱっとしないサラリーマンやってるんだってさ!
へ——、人間わからないものね——!?
実は、あいつの学力もガリ勉してなんとか保っていたんだろうな——!
そうね——、本当はバカだったのね——!
勉強とったら、なんの取り柄もなかったんだろう——!

朝倉……
村上……
オレは、今日……水野に告白するからな!!
「オレは、お前のことずっと前から好きだったがや……つきあったってちょー」
ってよ……
16

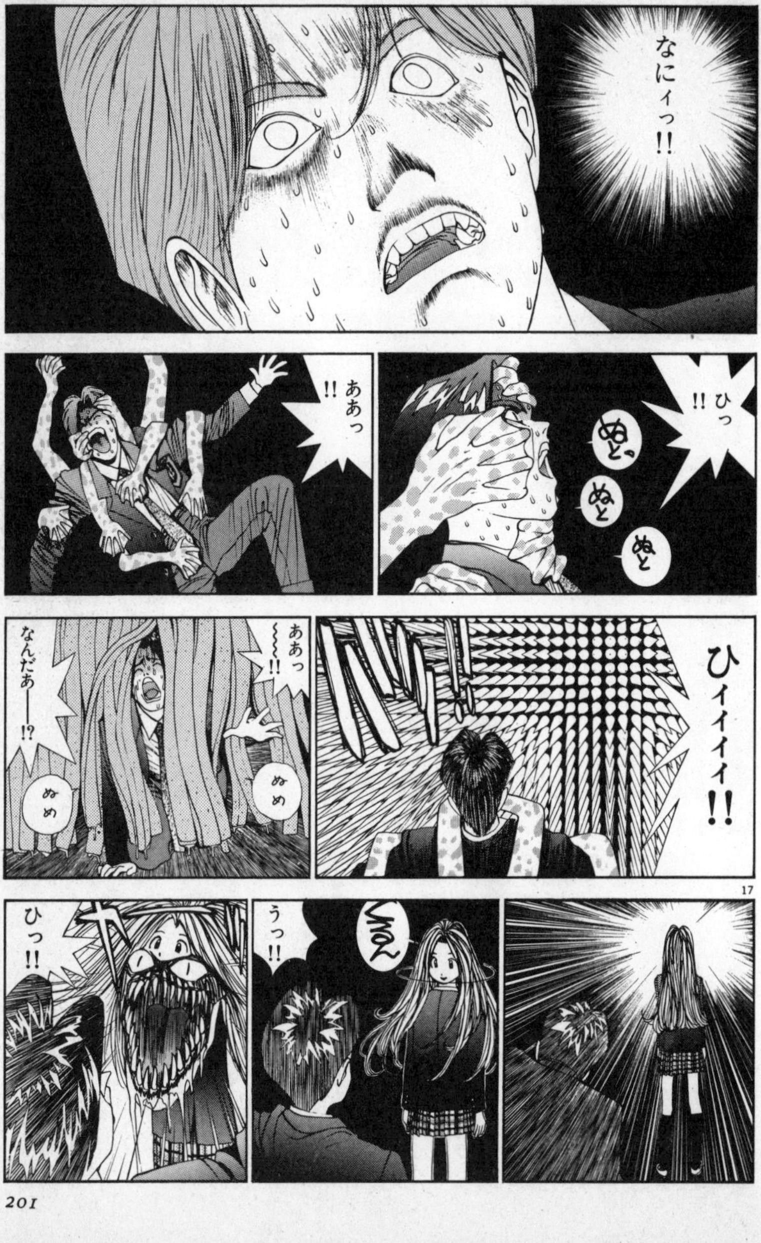

17

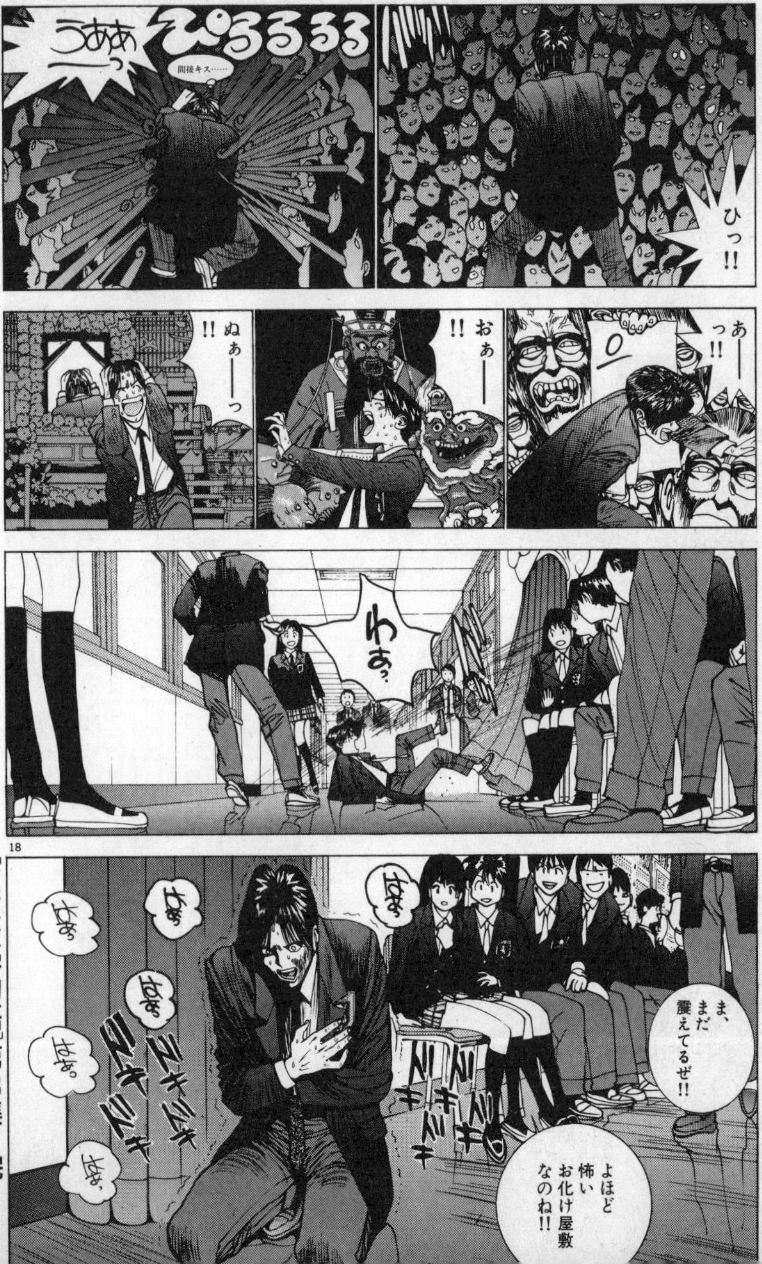
ひっ!!
うああーっ
ぴるるるるる
間接キス……
あーーっ!!
おぁーー!!
ぬぁーーっ!!
わぁっ
ま、まだ震えてるぜ!!
よほど怖いお化け屋敷なのね!!
はぁっ
はぁっ
はぁっ
はぁっ
はぁっ

[東京大学物語] 第3集 ―完―

ドキ
ドキ
ドキ
ドキ
ドキ
ドキ
ドキ
ドキ

TOKYO UNIV. STORY
3
EGAWA TATSUYA PRESENTS

◉22回〈18P〉
中井邦彦(6P)
大町敏男(4P)
中戸川収(4P)
中山兼一(4P)
◉23回〈18P〉
松浦聡彦(4P)
市川ダダ(5P)
渡久地きよみ(4P)
後藤亮一(5P)
◉24回〈18P〉
内藤耐司(3P)
市川智茂(1P)
宮本明彦(2P)
松浦聡彦(1P)
中井邦彦(4P)
後藤亮一(2P)
大町敏男(1P)
市川ダダ(1P)
渡久地きよみ(1P)
中戸川収(1P)
中山兼一(1P)
◉25回〈18P〉
松浦聡彦(5P)
渡久地きよみ(4P)
市川ダダ(5P)
中戸川収(4P)
◉26回〈18P〉
中井邦彦(6P)
後藤亮一(5P)
大町敏男(3P)
中山兼一(4P)
◉27回〈18P〉
松浦聡彦(3P)
中戸川収(3P)
渡久地きよみ(6P)
市川ダダ(5P)
中山兼一(2P)
◉28回〈18P〉
中井邦彦(6P)
後藤亮一(5P)
大町敏男(4P)
中山兼一(3P)
◉29回〈18P〉
中井邦彦(4P)
渡久地きよみ(6P)
市川ダダ(6P)
中戸川収(2P)
◉30回〈18P〉
松浦聡彦(5P)
中山兼一(4P)
後藤亮一(5P)
大町敏男(4P)
◉31回〈18P〉
松浦聡彦(4P)
市川ダダ(5P)
渡久地きよみ(4P)
中戸川収(3P)
後藤亮一(2P)
◉32回〈18P〉
松浦聡彦(6P)
大町敏男(4P)
中山兼一(4P)
後藤亮一(4P)

掲載雑誌◉週刊ビッグスピリッツ(毎週月曜日発売)
編集長◉亀井 修　担当編集◉江上英樹
単行本編集◉志波秀宇・山口陽子(銀杏社)
単行本デザイン◉孝橋淳二

●作者略歴●

1961年3月8日　野々村家次男として名古屋に生まれる。血液型A型。
1978年12月　17歳の時、江川家養子に入る。
1983年3月　愛知教育大学・教育学部・数学科(佐分ゼミ／応用数学)を卒業。
同年　名古屋市東陵中学校で数学講師を5か月。
同年　千葉市川市の本宮プロで漫画のアシスタントを4か月経験。
1984年3月　『BE FREE!』(講談社／コミックモーニング)で漫画家デビュー。
デビュー以来、漫画家として青年向きから幼児向きまで、
幅広い読者層の漫画を執筆。
また、漫画研究の為、江川漫画研究所を設立。
日夜、漫画を科学的に分析している。

〈代表作〉
『BE FREE!』1～12巻(1984～1988)
(講談社／モーニングKC)
『まじかる☆タルるートくん』1～21巻(1988～1992)
(集英社／ジャンプ・コミックス)
『GOLDEN BOY』1巻～(1992～)
(集英社／ジャンプ・コミックスデラックス)
『東京大学物語』1巻～(1992～)
(小学館／ビッグコミックス)

本作品への御意見・御感想をお待ちしております
あて先◉〒101-01 東京都千代田区一ツ橋2-3-1
小学館ビッグスピリッツ編集部『東京大学物語』係

東京大学物語 3 —平行線—

ビッグコミックス

ISBN4-09-183253-9

1994年1月1日初版第1刷発行　(検印廃止)

著者　江川達也

発行者　白井勝也

印刷所　凸版印刷株式会社

Printed in Japan

発行所　(101-01) 東京都千代田区一ツ橋二の三の一
振替(東京8—200)　TEL 編集 03(3230)5505
販売 03(3230)5749　株式会社小学館